W9-DIW-590

dtv

Der serbische Kriegsverbrecher Zlatko Šimić steht in Den Haag vor Gericht. Im Zuschauerraum sitzt Robert und versucht, sich ein Bild zu machen von dem Mann, für den seine Freundin Ana stets nur liebevolle Worte gefunden hat. Wie konnte ihr Vater, ein angesehener Anglistik-Professor und feinsinniger Shakespeare-Experte, sich eines solch grausamen Verbrechens schuldig machen, bei dem 42 Menschen qualvoll verbrannten? In Deutschland geboren, hat Robert sich bislang nicht für seine kroatische Abstammung interessiert, bis er eines Tages Ana begegnet. Aus Liebe zu ihr macht sich Robert auf die Suche nach der Wahrheit, die ihn in die Vergangenheit seiner Familie und eines zerrissenen Volkes führt.

Nicol Ljubić, 1971 in Zagreb geboren, wuchs in Schweden, Griechenland, Russland und Deutschland auf. Er studierte Politikwissenschaften und arbeitet als freier Journalist und Autor. Für seine Reportagen wurde er mehrfach ausgezeichnet, unter anderem mit dem Theodor-Wolff-Preis. ›Meeresstille‹ ist sein zweiter Roman, für den er 2011 den Adelbert-von-Chamisso-Förderpreis sowie den Verdi-Literaturpreis erhielt. Nicol Ljubić lebt in Berlin.

Nicol Ljubić

Meeresstille

Roman

Deutscher Taschenbuch Verlag

Der Autor dankt der Robert Bosch Stiftung für die Förderung der Arbeit an diesem Roman durch ein »Grenzgänger«-Stipendium.

Aus folgenden Ausgaben wurden Passagen zitiert:
William Shakespeare, ›König Lear‹, übersetzt von Raimund Borgmeier, Barbara Puschmann-Nalenz, Bernd Santesson und Dieter Wessels, Stuttgart: Reclam, 1973; ›Macbeth‹, übersetzt von Frank Günther, München: dtv, 1995; ›Titus Andronicus‹, übersetzt von Dieter Wessels, Stuttgart: Reclam, 1988; Ivo Andrić, ›Die Brücke über die Drina‹, übersetzt von Ernst E. Jonas, Frankfurt am Main: Suhrkamp, 2003.

Ausführliche Informationen über
unsere Autoren und Bücher
finden Sie auf unserer Website
www.dtv.de

4. Auflage 2015
2012 Deutscher Taschenbuch Verlag GmbH & Co. KG, München
Copyright © 2010 by Hoffmann und Campe Verlag, Hamburg
Umschlagkonzept: Balk & Brumshagen
Umschlaggestaltung: Wildes Blut, Atelier für Gestaltung, Stephanie Weischer unter Verwendung eines Fotos von plainpicture/Baertels
Satz: Dörlemann Satz, Lemförde
Druck und Bindung: Druckerei C.H.Beck, Nördlingen
Gedruckt auf säurefreiem, chlorfrei gebleichtem Papier
Printed in Germany · ISBN 978-3-423-14130-7

Meeresstille

Prolog

Den Haag, im Dezember

»Euer Ehren, bevor ich auf das Verbrechen selbst zu sprechen komme, möchte ich kurz den historischen Hintergrund erläutern, vor dem der Angeklagte sein Verbrechen begangen hat. Bis 1991 war das ehemalige Jugoslawien eine föderative Republik, die aus sechs Teilrepubliken bestand. Nach dem Tod General Titos drohte das Land auseinanderzubrechen. Die Jugoslawische Volksarmee intervenierte zunächst in Slowenien, dann in Kroatien und schließlich in Bosnien, mit dem Ziel, inmitten der auseinanderstrebenden Republiken einen neuen Staat zu errichten: das neue Jugoslawien, das als Ergebnis blutiger Auseinandersetzungen aus dem Gebiet zweier Republiken geschaffen und von den Serben und ihren engen Verbündeten, den Montenegrinern, bewohnt wurde. Dieser Plan, den die politischen Führer in Serbien und Bosnien geschmiedet hatten, wurde von der Jugoslawischen Volksarmee zusammen mit Spezialeinheiten des serbischen Innenministeriums und paramilitärischen Gruppierungen, die von den nationalistischen Parteien finanziert wurden, skrupellos umgesetzt; dabei bestanden enge Kontakte zu Lokalpolitikern und örtlichen Polizeikräften. Die Militäroperationen der serbischen Einheiten erfolgten auf koordinierte und systematische Weise, und bis Ende 1992 führte die Kampagne zu der Ermordung oder Zwangsumsiedlung von etwa zwei Millionen Nichtserben.

Ein Ort, der dabei traurige Berühmtheit erlangte, war Višegrad.

Vor dem Bosnienkrieg war Višegrad eine Kleinstadt im Osten von Bosnien und Herzegowina. Sie ist eine von mehreren Städten am Ufer der Drina und gehört heute zur Republika Srpska.

Der Stadt fiel während des Krieges aus zahlreichen Gründen strategische Bedeutung zu. Zum einen verfügt die Gemeinde über ein großes Wasserkraftwerk an einem Staudamm. Der Staudamm diente nicht nur der Energieerzeugung, sondern trug auch zur Kontrolle des Flusspegels und zur Vermeidung von Überschwemmungen bei. Zum anderen ist die Stadt ein wichtiger Verkehrsknotenpunkt. Sie liegt an der Hauptverbindungsstraße zwischen Belgrad und Sarajevo.

Am 6. April 1992 begann der Granatenbeschuss der Stadt und der umgebenden Dörfer durch lokale serbische Einheiten, der sich vor allem auf muslimische Wohngebiete und Dörfer richtete. Aus Rache besetzte eine kleine Gruppe von Muslimen den Staudamm und drohte damit, ihn zu sprengen. Einem der Männer gelang es, einen Teil des Staudamms zu öffnen und einige Häuser und Straßen zu überschwemmen, was zur Folge hatte, dass zahlreiche serbische wie muslimische Bewohner aus der Stadt flohen. Einheiten der Jugoslawischen Volksarmee gewannen die Kontrolle über den Staudamm und bald auch über die Stadt.

Nachdem sich Vertreter der Muslime von der Armee hatten zusichern lassen, dass die Muslime in der Stadt keiner Gefährdung ausgesetzt seien, riefen sie die muslimischen Bewohner auf, aus ihren Verstecken zu kommen und in ihre Häuser zurückzukehren. Viele kehrten zurück, weil sie den Zusicherungen glaubten. Für sie begann ein Albtraum. Sie wurden von

Polizisten und Paramilitärs ausgeraubt und mit dem Tod bedroht. Muslime, die leitende Positionen in der Stadt innehatten, wurden entlassen; einige von ihnen verschwanden. Paramilitärs fuhren durch die Stadt, sie hatten Lautsprecher auf ihren Autos und spielten Aufnahmen von Folterungen ab.

Die Situation verschlimmerte sich, als die Jugoslawische Volksarmee die Stadt verließ. Nach ihrem Abzug gründeten die Serbenführer die Serbenstadt Višegrad und übernahmen die Stadtverwaltung. Serbische Bewohner wurden in Ausbildungscamps für den Umgang mit Schusswaffen geschult. Kurze Zeit später leiteten serbische Einwohner, die Polizei und paramilitärische Einheiten eine der brutalsten ethnischen Säuberungen des Bosnienkriegs ein. Die Stadt sollte für immer von ihren muslimischen Bewohnern befreit werden.

Hunderte unbewaffneter muslimischer Zivilisten wurden in Višegrad getötet. Die Leichen der Männer, Frauen und Kinder wurden, nachdem sie am Ufer der Drina oder auf der historischen türkischen Brücke – seit Jahrhunderten Symbol der schwelenden Feindseligkeiten zwischen Muslimen und Serben – ermordet worden waren, in den Fluss geworfen. Die grausam zugerichteten Leichen wurden vom Strom flussabwärts und nahe dem Dorf Slap, wo die Drina einen großen Bogen macht, ans Ufer getrieben. Muslime, die nicht einem Mord zum Opfer fielen, wurden inhaftiert. Sie wurden geschlagen, gefoltert und sexuell misshandelt. Viele kamen dabei ums Leben. Die beiden Moscheen der Stadt wurden völlig zerstört.

Višegrad ist eines der erfolgreichsten Beispiele für ethnische Säuberungen während des Balkankriegs. Mehr als 61 Prozent der 21 000 Bewohner waren Muslime. Aufzeichnungen des Roten Kreuzes zufolge wurden 12 000 Menschen zum

Verlassen ihrer Häuser gezwungen oder ermordet. Višegrad ist zu traurigem Ruhm gelangt, weil in keinem anderen Ort – außer Srebrenica – so viele Menschen verschwunden sind, vor allem Männer und männliche Jugendliche. Das sollten Sie im Kopf behalten während der nächsten Tage, Wochen und Monate, die bis zum Urteil in diesem Prozess vergehen werden.

Ich denke, diese kurze Einführung war notwendig, um Ihnen ein Verständnis für die Zeit und die Hintergründe zu liefern, während deren dieses teuflische Verbrechen verübt wurde, für das der Mann, der hier vor Ihrer aller Augen sitzt, mitverantwortlich ist.«

Schwacher Wind kam vom Meer, er trieb kleine Wellen vor sich her, die verendeten, bevor sie das Ufer erreichten. Die Luft zog landeinwärts, über den breiten Ostseestrand, über sie hinweg, durch das Gras der Dünen.

Sie lagen da und hielten die Augen geschlossen. »Wie heißt das, wenn das Meer ruhig ist?«, fragte sie. Er verstand nicht, was sie meinte. Wenn das Meer ruhig ist, ist es ruhig. Oder still. »Habt ihr kein Wort dafür?«, fragte sie. »In meiner Sprache gibt es dafür ein Wort.«

Er hört ihre Stimme. So klar und etwas zu tief. Er stellt sich das Gesicht zu dieser Tonlage vor. Ernste Augen, Wangenknochen, eine schmale Nase, ein paar Falten auf der Stirn, blasse Haut, fast schon anämisch, dazu ihr dunkles Haar. Von weit oben sieht er den Abdruck seines Körpers im Sand, ihrer aber fehlt neben seinem. Er kann sich das nicht erklären. Vielleicht war der Sand zu fest und sie zu leicht. Wäre das möglich? Wäre es möglich, dass es Menschen gibt, die keinen Abdruck im Sand hinterlassen? Nicht mal in Gedanken? Sie lag neben ihm, das weiß er. Nur wie lange, das weiß er nicht. Er spürte Haarspitzen im Gesicht, lange dunkle Haare, die ihn kitzelten.

Er öffnete seine Augen. Sie hatte sich über ihn gebeugt. Von oben muss es ausgesehen haben, als küsste sie ihn. Sie legte ihm die Hände aufs Gesicht, ihre immer kalten Hände.

»*Bonaca.*« Das Wort hatte sich ihm eingeprägt. Meeresstille.

Er ist einer der Letzten, die den Zuschauerraum betreten. Der Wachmann gibt ihm einen Kopfhörer und weist ihm einen der wenigen freien Plätze zu. Er setzt sich in die dritte Reihe neben eine Gruppe von jungen Leuten, von denen er annimmt, sie seien Studenten, weil jeder von ihnen einen Notizblock vor sich liegen hat.

Er hört ein leises Stimmenwirrwarr, das aus den vielen Kopfhörern dringt. Durch die gepanzerte Scheibe sieht er den Gerichtssaal. Drei Richter in schwarzen Roben, vor ihnen eine Reihe von Protokollanten, zur Rechten der Ankläger, zur Linken mehrere Verteidiger, die wie ein Schutzwall vor dem Angeklagten sitzen. Der Angeklagte trägt ein weißes Hemd, einen dunklen Anzug, Krawatte. Er hat dichtes, schwarzes Haar, was ungewöhnlich ist für einen Mann seines Alters; er ist sechzig Jahre alt, er hat eine hohe Stirn und eine feine, schmale Nase, die seinem Gesicht fast etwas Zartes verleiht. Neben ihm stehen zwei Männer in blauer Uniform, die ihn bewachen und in regelmäßigen Abständen abgelöst werden.

Der Vorsitzende Richter, ein ältlicher, schmaler Mann mit weißem Haar, übergibt an Mr Bloom, den Ankläger, dem drei Stunden Zeit bis zur Mittagspause bleiben, die Anklage zu erheben. Der stattliche Mann, dessen breite Schultern sich unter der schwarzen Robe abzeichnen, steht auf, wirft dem Angeklagten einen Blick zu und fängt an. Zu Beginn wird er einige Male von den Übersetzern unterbrochen, die ihn bitten, näher ans Mikrophon zu treten.

Von seinem Platz im Zuschauerraum aus sieht er Mr Bloom die meiste Zeit von hinten.

»Sie werden den Schmerz erkennen, wenn Sie in ihre Augen sehen, und in ihrem Gesicht die Narben, die das Feuer jener Nacht hinterlassen hat. Sie werden ihre Stimme kaum hören und nicht alles verstehen, Sie werden sich fragen, ob diese Frau die Wahrheit sagt, weil diese Wahrheit Sie an Ihrer Vorstellung vom Menschsein zweifeln lässt. Sie wird versuchen, von jener Nacht zu berichten, von dem unsäglichen Verbrechen, das sie als Einzige überlebt hat. Ich denke, jedem von Ihnen ist klar, welchen Mut diese Frau aufbringt, welche Qual sie durchzustehen hat, hier zu sprechen, vor Ihrer aller Augen und in Gegenwart des Mannes, dem sie zuvor ein einziges Mal begegnet ist: in jener Nacht, in der ihre Familie, die Hasanovićs, verbrannte.«

Der Angeklagte hat nach wenigen Minuten seinen Kopfhörer abgenommen und begutachtet seine Fingernägel, der Reihe nach, mit dem kleinen Finger der linken Hand beginnend. Dann reibt er sich die Hände und hält plötzlich inne, als sei er sich von einem auf den nächsten Moment bewusst geworden, wie zynisch diese Geste, hier an diesem Ort, wirken muss.

Er sieht ihn hinter der Scheibe auf seinem Stuhl sitzen, er kann seinen Blick nicht von ihm lassen und wünscht sich gleichzeitig, er könnte ihn hassen, wie jeder andere es könnte, dem der Name des Angeklagten nicht so vertraut wäre. Er spürt den Hauch zwischen seinen Lippen und seiner Zungenspitze, die tonlos die Buchstaben zu seinem Namen formt: Zlatko Šimić. Erschrocken sieht er sich um, aber die junge Frau neben ihm hat ihren Kopfhörer auf und beachtet ihn nicht.

»Dieser Mann hat sich als Mitarbeiter des Roten Kreuzes ausgegeben, er hat der Familie ein Dokument gezeigt und sie in das Haus geführt, in dem sie später angezündet wurde. Zweiundvierzig Verwandte der Frau, die hier vor Ihnen steht, kamen im Feuer um, ihre Eltern, ihre Großeltern, ihre Tanten und Onkel, ihre Cousinen und Cousins, ihre drei Schwestern und ihr zwei Tage alter Bruder. Der Mann hatte ihnen gesagt, sie seien sicher in dem Haus und dass am Morgen die Busse kämen, die sie aus der Stadt brächten. Das war alles, was die Hasanovićs wollten, weg aus der Stadt, in der sie ein Leben lang gelebt hatten und aus der die eigenen Nachbarn sie letztlich vertrieben. Sie waren die letzten Muslime im Dorf, als sie sich entschlossen, ihre Häuser aufzugeben. Am 14. Juni 1992 überquerten sie die alte Brücke von Višegrad auf der Suche nach dem Roten Kreuz. Die große Tragödie um diese Familie begann, als sie auf ihrer Suche dem Mann begegnete, der sich uns allen als Zlatko Šimić vorgestellt hat und sich im Sinne der Anklage für unschuldig hält. Er wird behaupten, zur Tatzeit im Krankenhaus von Višegrad behandelt worden zu sein, seine Verteidiger werden eine Kopie des Aufnahmeprotokolls als Beweisstück vorlegen, was zwangsläufig nur einen Schluss zulässt: Er oder sie sagt nicht die Wahrheit, er oder sie belügt das Gericht, und es liegt an Ihnen, ihm oder ihr zu glauben. Machen Sie sich bewusst, was es für diese Frau bedeutet, hier und heute auszusagen, jene Nacht, in der sie zusehen musste, wie ihre Verwandten im Feuer umkamen, ein weiteres Mal zu durchleben, machen Sie sich bewusst, was sie mit der Reise hierher zum Tribunal riskiert, schauen Sie ihr in die Augen, und Sie werden verstehen, dass diese Frau nicht lügen könnte.«

Es heißt, die Augen seien der Spiegel der Seele. Er fragt sich, ob er sie jemals richtig betrachtet hat. Ob er in den Augen, die er so liebte, etwas anderes hätte sehen können, eine Lüge vielleicht oder den Schatten eines Lebens, das sie im Alltag vor ihm verbarg. Šimić war zu weit weg, um ihm in die Augen zu sehen. Er fragt sich, ob er sich, wenn er vor ihm stünde, überhaupt traute, ihm in die Augen zu sehen.

»Dieser Mann ist gewiss nicht der niederträchtigste unter all den Angeklagten dieses Tribunals, er ist keiner, der mit eigenen Händen gemordet hat, er ist auch nicht derjenige, der das Streichholz fallen ließ. Sein Verbrechen begann, als er diesen verzweifelten Menschen seine Hilfe anbot, sie zu dem Haus führte, das bereits mit Brandbeschleuniger präpariert war, und ihnen sagte, dass am nächsten Morgen die Busse auf sie warten würden. Dieser Mann hat sie im Haus eingeschlossen, und er blieb, als zwei Männer dazukamen, zwei Männer, die er gut kannte. Sie raubten den Hasanovićs ihr Geld, ihre Uhren, ihren Schmuck, sie zwangen jeden Einzelnen, sich auszuziehen, und dann ließ einer der beiden Männer das Streichholz fallen. Das Haus stand sofort in Flammen. Sie verschlossen die Tür und warteten vor dem Gebäude, bis nach zwei Stunden die letzten Schreie verstummten. Schauen Sie sich ihn an, diesen Mann, der zweiundvierzig Menschen, die meisten von ihnen Frauen und Kinder, mit Vorsatz in den Tod geführt hat und dem das offenbar nicht genug war. Am nächsten Morgen hat er Schweine kommen lassen und aus dem Haus einen Stall gemacht. Ausgerechnet Schweine!«

Die meiste Zeit steht er fast bewegungslos da, den Blick auf seine Zettel gesenkt. Er trägt die Anklage in einem überraschend ruhigen Tonfall vor, ohne Eifer, selbst die Stellen, die dazu verleiten könnten.

»Sie können sich vielleicht vorstellen, wie schwierig es für diese junge Frau sein wird, hier als Zeugin auszusagen. Die Erinnerungen an jene Nacht werden sie für immer quälen, aber es ist etwas anderes, die Bilder im Kopf zu haben, als Worte für diese Bilder finden zu müssen. Denken Sie daran, wenn sie als Zeugin aufgerufen und hier in diesem Raum vor Ihnen allen Platz nehmen wird. Und denken Sie daran: Sie war vierzehn, als jene Nacht ihr all die Menschen nahm, die sie liebte.«

Zeitweise sitzt Zlatko Šimić auf gekipptem Stuhl, mit dem Rücken gegen die Wand gelehnt. Einmal holt er einen Kamm aus der Innentasche seines Jacketts und zieht sich den Scheitel zurecht, gelegentlich spielt er mit dem Ende seiner Krawatte, wickelt sie um einen seiner Finger und glättet den Stoff wieder. Wenn er seinen Blick durch den Raum schweifen lässt, sieht er niemanden an, als weigere er sich, wahrzunehmen, dass hier Menschen sind, die über ihn richten, und andere, durch eine Scheibe getrennt, die ihnen dabei zusehen.

Seine Anwälte machen sich Notizen, sie schieben sich gegenseitig Zettel zu. Die Richter sitzen in ihren Stühlen, einer hat den Ellenbogen auf der Armlehne, den Kopf auf die Hand gestützt.

Er nimmt den Kopfhörer ab und hört das gedämpfte Wirrwarr aus den vielen anderen. Er sieht sich um. Fast alle Zuschauer folgen dem Prozess, aufmerksam, gebannt. Eine ältere Frau fängt zu weinen an. Sie wischt sich mit einem Taschentuch die Augen. Er denkt daran, wie viel leichter es für ihn gewesen wäre, hätte sie jemals geweint und ihm die Möglichkeit gegeben, ihre Tränen zu trocknen. Er hätte sie an sich gedrückt oder mit dem Zeigefinger ihre Tränen aufgehalten und weggewischt. Wie sehr er sich das wünscht in diesem Moment! Warum nur ist sie nicht hier neben ihm? Warum nur konnten sie nicht zusammen hier sein?

Die junge Frau neben ihm hat schon mehrere Seiten ihres Notizheftes vollgeschrieben. Er beobachtet ihr schmales Handgelenk, das auf der kleinen Schreibfläche liegt, das Spiel der feinen Knochen, die sich durch ihren blassen Handrücken abzeichnen.

Durch die Scheibe sieht er, wie Mr Bloom eine Handbewegung in Richtung des Angeklagten macht, eine Bewegung, die stumm wie eine einladende Geste aussieht.

Wie kann Šimić nur so regungslos dasitzen?

Eine Frau, die ihm bislang nicht aufgefallen ist, fängt an zu fluchen. Der Aufpasser, der die ganze Zeit hinter den Reihen von Sitzenden gestanden hat, kommt auf sie zu und bedeutet ihr, still zu sein. Die Frau nimmt ihren Kopfhörer ab. »Er ist ein Schwein«, sagt sie auf Englisch, »verstehen Sie?« – »Bitte«, sagt der Aufpasser. »Sie müssen sonst den Raum verlassen.« Er zeigt mit einer Hand zur Tür. Einige drehen sich zu ihr um und sehen sie teils abschätzig, teils mitleidig an. Die Frau atmet tief ein und setzt den Kopfhörer wieder auf.

Er blickt wieder auf die Hand der Frau neben sich, auf das mechanische Spiel der Knochen. Dieser Anblick beruhigt ihn. Er hat das Bild von den Hämmerchen eines Klaviers vor Augen, die tonlos auf die Saiten schlagen. Dann setzt auch er sich den Kopfhörer wieder auf.

Die Richter bitten den Ankläger um einen Namen für das Haus, in dem das Verbrechen stattfand, weil sie durcheinandergekommen sind. Es gab ein zweites Haus, in dem andere Menschen verbrannten, auch in der Pionirska-Straße. Sie fragen nach der Hausnummer. Das Haus, um das es geht, hat keine Hausnummer, so ist das leider in diesem Teil der Welt. Mr Bloom schlägt vor, es als das Memić-Haus zu bezeichnen, weil es den Memićs gehörte, aber das gefällt den Richtern nicht; sich Namen zu merken sei zu schwierig. Sie einigen sich darauf, es das Haus am Bach zu nennen. Dann verkündet der Vorsitzende Richter die Mittagspause.

Sie müssen den Zuschauerraum verlassen und hinuntergehen ins Foyer. Beim Verlassen des Raums spricht ihn der Aufpasser an. Er müsse aufstehen, sagt er, wenn die Richter sich erheben. Das gelte für alle, auch für die Zuschauer. Er sagt: »Es ist eine Sache des Respekts.« Er weiß nicht, was er sagen soll. Er nickt und verlässt, ohne sich noch mal umzudrehen, den Raum.

Zwei Stockwerke tiefer, im Foyer, sind die wenigen Sessel bereits belegt. Er geht zum Wasserspender, füllt sich einen Becher und tritt ins Freie. Es hat angefangen zu schneien, über den Häusern liegt ein winterliches Grau. Er ist der Einzige, der draußen steht.

Šimić haben sie aus dem Gerichtssaal gebracht, er hat es gesehen, weil er der Letzte war, der den Besucherraum verließ. Er blieb auf seinem Stuhl sitzen und sah zu, wie sich die Verteidiger ihre schwarzen Roben auszogen, wie sich einer von ihnen mit einem Tuch den Schweiß von der Stirn tupfte, ein anderer ein belegtes Brötchen aus seinem Koffer holte. Hinter ihren Rücken wurde Šimić von den beiden Wachmännern hinausgeleitet. Als es für einen kurzen Moment den Anschein hatte, dass Šimić auf ihn zukam, weil ihn der Weg in Richtung des Besucherraums führte, wollte er sich ducken und hinter der Lehne des vorderen Stuhls verstecken.

Gestern Abend ist er in Den Haag angekommen, nach einer fast achtstündigen Zugfahrt. Er hatte am Fenster gesessen, das Buch und die Zeitschriften, die er für die Fahrt gekauft hatte, kurz nach Hannover wie abwesend durchgeblättert und sie dann auf den Sitz neben sich gelegt. Den Rest der Zeit hatte er hinausgeschaut, flaches Land, ein paar kahle Bäume, braune Äcker, zwischen den Furchen hatte sich Schnee gesammelt, der wie verkrustet schien. Weit und breit kein Haus, nicht mal ein Gehöft. Eine Straße, ein paar Feldwege und über alldem ein Dickicht aus grauen, schweren Wolken. Während der Fahrt hatte es zeitweise geregnet.

Er hatte sich nach einem Hotel am Meer erkundigt. Er wollte ein Zimmer mit Blick aufs Meer. Als die Frau fragte, wie lange er bleiben wolle, wusste er nicht, was er antworten sollte. »Ich weiß nicht«, sagte er, »vier Nächte, fünf Nächte, vielleicht länger.«

Irgendwann war der Zug zum Stehen gekommen. Grund war ein Personenschaden im Gleisverkehr, wie es in der Durchsage hieß. Hinter ihm hatte sich ein Mann empört. Es gebe genug Möglichkeiten, sich zu Hause umzubringen. Niemand hatte ihm widersprochen.

Eine Stunde lang waren sie aufgehalten worden, in dieser leeren Landschaft festgesetzt. Als sich der Zug schließlich wieder in Bewegung gesetzt hatte, war auch der Selbstmörder aus seinem Gedächtnis verschwunden. Sie hatten den Toten einfach hinter sich gelassen. Ana konnte das nicht. Das war ihm auf einmal klargeworden. Zweiundvierzig Tote, zweiundvierzig qualvolle Tode. Und ein Mann, der seine Krawatte glättet. Er hatte einen anderen Mann erwartet, einen gebrochenen Mann mit traurigen Augen, blasser Haut und eingefallenen Wangen.

Er hätte gern gewusst, ob es auch das Bild war, das sich Ana von diesem Mann wünschte. Aber sie hatten nicht mehr miteinander gesprochen, sie hatten sich nicht mehr gesehen. Er wusste nicht, ob es das Ende war oder nicht. Er wusste nicht, was es war, warum sie es ihm nicht früher erzählt hatte. Warum hatte sie ihm nicht vertraut? Manchmal wusste er nicht, warum sie es ihm überhaupt erzählt hatte.

In den drei Wochen, die seitdem vergangen sind, hatte er versucht, sich von ihr zu entfernen. Er hatte versucht, sich von ihrer Geschichte zu entfernen, aber gemerkt, dass beides nicht ging.

Sie weiß nicht, dass er nach Den Haag gereist ist. Er hat lange darüber nachgedacht, ob er es tun sollte, und am Ende geglaubt, dass es ihm, vielleicht auch ihnen beiden, helfen könnte. Zumindest könnte es ihm helfen, einiges zu verstehen. Aber schon nach den ersten Stunden im Gericht sind ihm Zweifel gekommen. Stattdessen erfüllt ihn die Angst, Ana könnte ihm fremd werden und mit ihr seine Liebe. Zum ersten Mal verspürt er auch die Angst, er könnte in dem Mann, den all das offenbar so unberührt lässt, etwas Liebenswertes entdecken. Auch wenn es nur etwas Kleines wäre, ein Altersfleck auf der Stirn, eine zaghafte Geste, ein kurzer Anfall von Schwäche oder einfach nur die Art, wie er nach dem Naseputzen sein Taschentuch zusammenlegt.

Die junge Zeugin sitzt im Gerichtssaal, mit dem Rücken zum Zuschauerraum, sie trägt eine mintgrüne Strickjacke. Ihre schwarzen Haare reichen ihr bis zur Schulter. Auf dem Bildschirm, der über der Scheibe hängt, kann er ihr Gesicht sehen, er sieht die Narben auf der rechten Gesichtshälfte. Sie sitzt da, ruhig, gefasst, zumindest wirkt sie nach außen so, er fragt sich, wie das geht, wie sie das schafft. Sie sieht Šimić nicht an, schon beim Hereinkommen hatte sie den Blick nur auf den Stuhl gerichtet, auf dem sie sitzen sollte.

Der Vorsitzende Richter bittet sie, sich zu erheben, um den Eid abzulegen. Im Namen Gottes erklärt sie, dass sie die Wahrheit sagen wird und nichts als die Wahrheit. Der Richter bittet sie, sich wieder zu setzen, und übergibt an Mr Bloom, der aufsteht und sich der Zeugin zuwendet.

»Ich würde gern zu Beginn von Ihnen wissen, in welchem Ort Sie gelebt haben.«

»In Koritnik, sechs Kilometer von Višegrad entfernt.«

Er ist vom Klang ihrer Stimme überrascht, sie spricht fest und sicher.

»Welchen Beruf üben Sie aus?«

»Ich bin Krankenschwester.«

»Welcher ethnischen Zugehörigkeit sind Sie?«

»Muslimin.«

»Was geschah am Morgen des 14. Juni 1992?«

»Einer unserer serbischen Nachbarn hat uns gedroht, wir alle würden getötet. Daraufhin haben meine Eltern beschlossen, Koritnik zu verlassen.«

»Wie viele waren Sie?«

»Alle zusammen etwa fünfzig Leute. Die genaue Zahl weiß ich nicht.«

»Waren alle in der Gruppe Zivilisten?«

»Ja, alle.«

Die Verteidiger schieben sich wieder Zettel zu, die Richter haben sich weit in ihre Stühle zurückgelehnt, und Šimić starrt auf den Tisch vor sich. Mr Bloom sieht auf die Papiere, die vor ihm liegen.

»War da ein kleines Baby in Ihrer Gruppe?«

»Ja, es war achtundvierzig Stunden alt. Mein kleiner Bruder.«

»Als Sie in Višegrad ankamen, wohin sind Sie zuerst gegangen?«

»Wir sind zur Polizei gegangen. Einer meiner Onkel hat einem der Polizisten gesagt, wir suchten das Rote Kreuz, und der Polizist sagte, das Rote Kreuz sei am Hotel an der Drina, wir sollten die Hauptstraße meiden und wir sollten hintereinandergehen, immer zu zweit nebeneinander.«

»Was geschah dann?«

»Als wir zur Brücke kamen, trafen wir auf einen Mann, der uns sagte, dass die Busse schon losgefahren seien. Er sei vom Roten Kreuz, sagte er, und kümmere sich um die Flüchtlinge. Er sagte, er bringe uns zu einer Unterkunft, in der wir übernachten könnten. Am nächsten Tag kämen dann Busse.«

Mr Bloom sieht sie an, macht eine Pause.

»Glauben Sie, Sie erkennen den Mann, wenn Sie ihn noch mal sehen?«

»Ja, ich erkenne ihn. Nur wenn ich tot wäre, würde ich ihn nicht mehr erkennen. Er ist da drüben, das ist er.«

Sie macht eine Handbewegung in Šimićs Richtung.

»Können Sie uns sagen, wen in diesem Raum Sie meinen?«

»Ja, das kann ich. Er sitzt links von mir. Ich habe ihn noch nicht richtig angesehen, ich weiß nicht genau, was er anhat. Ich möchte ihn auch gar nicht ansehen.«

»Ich bitte Sie, ihn jetzt anzusehen und uns zu versichern, dass die Person, die Sie meinen, auch diejenige ist, die Sie am 14. Juni 1992 gesehen haben.«

»Er sitzt hinter dem Mann da.«

»Können Sie uns sagen, was er anhat?«

»Etwas Braunes, glaube ich. Ich kann auf die Entfernung nicht so gut sehen. Es ist braun, ja. Er ist mittlerweile sechzehn Jahre älter. Er sah damals besser aus.«

Sie hat Šimić nur kurz angesehen, ihren Kopf kaum bewegt, sie ist seinem Blick ausgewichen.

Was nur mag sich in ihr abgespielt haben in jenem Moment? Er hätte sie so gern gefragt, er hätte gern gewusst, was sie fühlt in der Gegenwart dieses Mannes?

Hasst du ihn?

So einfach ist das nicht, Hass ist ein Wort, ein kraftloses Wort, weil es verwendet wird von Menschen, die noch nie erfahren haben, wie sich Hass anfühlt. Hass ist anders als Liebe. Jeder hat schon mal geliebt, und wer will sich das Recht herausnehmen, über die Intensität einer Liebe zu urteilen? Ich hasse ihn, weil er mir die Frau ausgespannt hat, ja, vielleicht ist das eine Form von Hass, aber was soll ich sagen? Ich habe mit angesehen, wie meine ganze Familie verbrannte. Ich habe ihr Schreien gehört. Ich höre es bis heute.

Also, was fühlst du?

Alle, die mich fragen, wollen wissen, was ich fühle, ob ich etwas anderes fühle als Hass.

Und?

Weißt du, er hat sein Wort nicht gehalten. Das kann man vielleicht nicht verstehen, aber das ist es, woran ich immer denken muss, wenn ich an ihn denke.

Mr Bloom: »Euer Ehren, nehmen Sie bitte auf, dass die Zeugin den Angeklagten identifiziert hat.«

Er hat die ganze Zeit der englischen Übersetzung zugehört, der Stimme einer Frau, deren Alter er nicht schätzen kann. Er stellt sich die Übersetzerin vor, wie sie in ihrem abgedämmten Raum sitzt und den Prozess verfolgt. Er versucht, in der Stimme eine Regung zu erkennen, Wut oder Trauer, er fragt sich, wie sie das alles so teilnahmslos übersetzen kann. Er wechselt den Kanal und hört die Zeugin. Er versteht nicht, was sie sagt, und doch kommt es ihm so vertraut vor, er glaubt, sich an einzelne Wörter erinnern zu können, aber so schnell, wie sie spricht, kann er den Wörtern keinen Sinn geben. Er wechselt zum vorherigen Kanal zurück. Er braucht die Übersetzung, um zu verstehen, was sie sagt.

»Können Sie sich erinnern, was der Angeklagte damals zu Ihrer Gruppe gesagt hat?«

»Ja. Er sei vom Roten Kreuz und dafür zuständig, die Flüchtlinge unterzubringen, dass wir uns frei und sicher fühlen sollten, dass wir in der Gruppe bleiben sollten, dass keiner uns etwas antun könne und dass das auch keiner tun werde.«

»Haben Sie gesehen, wie er etwas aufgeschrieben hat?«

»Er hat einen Zettel aus einem Notizblock gerissen und etwas geschrieben. Ich wusste nicht, was er geschrieben hat. Er gab diesen Zettel meinem Onkel, der ihn uns gezeigt hat. Darauf stand, dass wir sicher seien und uns niemand etwas tun könne. Falls irgendjemand käme, sollten wir ihm das Papier zeigen.«

»Nachdem Sie im Haus am Bach waren, sind da noch andere Männer gekommen?«

»Ja, ungefähr eine Stunde später. Wir haben zu Gott gebetet, wir haben uns Essen gemacht, es muss ungefähr eine Stunde später gewesen sein, genau kann ich es nicht sagen.«

»Haben Sie die Männer erkannt?«

»Ich habe mich nicht getraut, sie anzuschauen. Ich habe vor dem Haus ihre Stimmen gehört, nur drei von ihnen haben das Haus betreten.«

»Können Sie uns beschreiben, was geschah, nachdem die Männer das Haus betreten haben?«

»Lassen Sie mich eine kurze Pause machen, bitte.«

Mr Bloom sieht die Richter an, diese sprechen kurz miteinander, dann nickt der ältliche mit den weißen Haaren.

Die Zeugin richtet ihren Körper auf, der, wie ihm in diesem Moment erst auffällt, während der Befragung in sich zusammengesunken ist. Ihre Schultern nach vorn gefallen, ihr Kopf leicht eingezogen. Er war von ihrer Stimme abgelenkt, von ihrem Gesicht, das so entschlossen wirkte, dass er nicht bemerkte, wie ihr Körper begann, diesem Ausdruck zu widersprechen. Es scheint, als habe sie deshalb nach einer kurzen Unterbrechung verlangt, um sich wieder aufzurichten.

Sie setzt den Kopfhörer ab und schließt für einen Moment die Augen. Sie drückt die Kuppen ihrer Mittelfinger an die Schläfen. Zweimal heben sich ihre Schultern sichtbar beim Atmen. Dann setzt sie sich den Kopfhörer wieder auf und spricht weiter.

»Sie kamen ins Haus, einer von ihnen sagte, wir sollten alle in das Nebenzimmer gehen. Er wollte Bares, Geld und Gold. Er zog ein Messer aus einem seiner Stiefel und sagte: ›Wenn ich anschließend noch einen einzigen Dinar finden sollte, werde ich es benutzen. Zieht Euch aus.‹«

»Was geschah dann?«

»Wir sind alle in einen anderen Raum, die Erwachsenen haben das Geld und den Schmuck auf einen Tisch gelegt. Einer der Männer saß in einem Sessel, ein Gewehr auf dem Schoß, und rief drei von uns. Er sagte: ›Zieht Euch aus.‹«

»Waren Sie eine der drei?«

»Ja.«

»Wie ging es weiter?«

»Er sagte: ›Zieht Eure Kleider aus.‹ Ich fing an, meine Bluse aufzuknöpfen. Ich sagte: ›Ich werde nicht weitermachen.‹ Er sagte: ›Zieh dich aus. So.‹«

»Sie halten Ihren Zeigefinger in die Luft, ist das die Geste, die der Mann Ihnen gegenüber gemacht hat?«

Sie atmet tief ein. Er sieht es an ihren Schultern.

»Ja, er zeigte mir den Zeigefinger und sagte: ›Du sollst so nackt sein wie dieser Finger.‹«

Mr Bloom: »Fahren Sie bitte fort.«

»Ich fing an, meine Unterwäsche auszuziehen. Ich musste

mich vor ihn stellen und mich drehen. Er sah mich eine Weile an und sagte: ›Zieh dich wieder an!‹«

»Wo war der Angeklagte zu diesem Zeitpunkt?«

»Ich weiß es nicht, vielleicht hat er draußen gewartet.«

»Hat sich eine der Frauen geweigert, ihre Kleider abzulegen?«

»Ja.«

»Wer war das?«

»Meine Mutter.«

»Was passierte mit ihr?«

»Sie sagte, sie würde sich nicht ausziehen. Meine Tante hat sie dann festgehalten, und ich habe ihre Bluse aufgeknöpft. Gemeinsam haben wir sie ausgezogen.«

Die alte Frau, die vorhin Tränen in den Augen hatte, bekreuzigt sich.

»Wurden alle Personen durchsucht?«

»Ja, sie haben alle durchsucht, auch die Hosentaschen der Kinder. Eine Mutter hatte ihrem kleinen Sohn Geld in die Taschen gesteckt, ich weiß nicht, wie viel, auf jeden Fall haben sie es gefunden und ihn dann geschlagen.«

Sie ballt die rechte Hand zur Faust und deutet einen Schlag an.

Mr Bloom: »Sie haben Ihre Faust geballt und einen Schlag angedeutet. Ist es das, was der Mann dem Kind angetan hat?«

Zeugin: »Ja, er hat dem Kind ins Gesicht geschlagen.«

Im Zuschauerraum schütteln einige die Köpfe. Die Frau neben ihm hat aufgehört zu schreiben, ihre Finger ruhen, den Stift umschlossen, auf dem Notizblock. Es ist, als hielten alle für einen Moment inne. Auch die Übersetzerin.

Šimić nestelt an den Knöpfen seines Anzugs herum.

Der Ankläger schiebt zwei Zettel, die auf dem Tisch vor

ihm liegen, übereinander und wendet sich wieder der Zeugin zu. »Sind die Männer später zurückgekehrt?«

»Ja. – Natürlich sind sie. Wären sie nicht zurückgekommen, säße ich jetzt nicht hier und spräche über das alles. Ich wäre jetzt zu Hause bei meiner Familie.«

Zum ersten Mal sieht sie den Ankläger an. Sie zieht ihren Stuhl etwas näher an den Tisch heran.

»Als die Männer zurückkehrten, ich meine, als sie das zweite Mal ins Haus kamen, war es da schon dunkel draußen, war es Nacht?«

»Dunkel, ja, Nacht. Die Kinder haben schon geschlafen.«

»Woran haben Sie gemerkt, dass die Männer zurückgekommen waren?«

»Wir hörten ein Auto kommen. Beim Abbiegen streifte das Licht der Scheinwerfer durch das Haus. Eine meiner Tanten sagte: ›Sie werden uns umbringen – uns erhängen oder uns anzünden.‹«

»Haben Sie gehört, dass einige gebetet haben?«

»Ja, habe ich. Mein Vater war ein religiöser Mann, er sagte immer, wir sollten zu Gott beten und um Erlösung bitten.«

»Haben Sie auch gebetet?«

»Natürlich habe ich. Aber ich habe mich auch umgesehen, wie ich mich retten könnte. Ich wollte mich nicht auf Gott verlassen.«

»Erzählen Sie uns bitte, was sich im Haus abspielte.«

»Deswegen bin ich hier. Um die Wahrheit über meine Familie zu erzählen.«

Einer der Verteidiger erhebt sich von seinem Stuhl, er schüttelt den Kopf, übertrieben, und sagt: »Euer Ehren ...«

Aber der Vorsitzende Richter winkt ab und wendet sich der Zeugin zu. »Ich bitte Sie, Sie sollten sich auf die Schilderung dessen beschränken, was im Haus geschah. Alles andere wird, wie Sie sehen, als Provokation aufgefasst.«

Sie nickt.

»Die Tür ging auf, und im selben Moment schossen die Flammen empor, Flammen in verschiedenen Farben, blau, gelb, als hätte jemand das Feuer geschürt. Ich hörte Schreien. Ich drehte mein Gesicht weg, als der Rauch kam, und rannte zum Fenster. Eine Hand hielt ich vor meinen Mund, mit der anderen schlug ich gegen die Scheibe. Ich weiß nicht, wie oft, irgendwann ging sie kaputt, aber so, wie eine Windschutzscheibe zerbricht, sie fiel nicht raus. Dann hat mich jemand von hinten gestoßen, und ich bin durch die Scheibe gefallen. Meine Mutter rief: ›Lauf, lauf!‹ Als ich mich umdrehte, sah ich meine Cousinen, die versuchten, ihre kleinen Kinder zu schützen, sie schrien, jede von ihnen hatte drei Kinder. Und dann waren da noch mein kleiner Bruder und die kleine Emilija, die war neun und hatte ihren weinenden Bruder auf dem Schoß. Meine Mutter rief: ›Lauf!‹ Aber ich konnte nicht. Jemand hatte eine Handgranate in den hinteren Teil des Hauses geworfen, und Splitter hatten mich im Nacken getroffen, am Kopf, an der Hand; ich spürte meinen Körper nicht mehr. Und wieder hörte ich meine Mutter rufen, ich solle laufen, ich war gestürzt, kam irgendwie auf die Beine und lief zum Bach, da habe ich mich hingekauert. Ich konnte sehen, wie noch andere aus dem Fenster sprangen, aber die Männer bemerkten das und schossen auf sie.«

Es ist das erste Mal, dass sie zu dem Glas mit Wasser greift, das vor ihr auf dem Tisch steht. Sie nimmt einen Schluck und lässt das Glas länger als nötig an den Lippen.

Mr Bloom fragt: »Wie oft mussten Sie gegen die Scheibe schlagen, bevor sie kaputtging?«

Sie setzt das Glas ab.

»Einige Male, das Glas war dick, ich dachte, es sei dünn wie normales Glas, ich habe einige Male dagegengeschlagen, aber wissen Sie, ich kann es Ihnen nicht sagen, ich war in großer Angst.«

»Wie weit war der Weg zum Bach?«

»Fünfzig Meter, vielleicht hundert. Wenn Sie es genauer wissen wollen ... ich weiß es nicht. Ich würde gern noch mal dorthin zurück und mir das Haus ansehen, lieber noch als zurück zum Haus meiner Eltern, in dem ich vierzehn Jahre gelebt hatte.«

»Wo haben Sie sich versteckt, nachdem Sie aus dem Haus geflohen waren?«

»Unter einer kleinen Brücke, dort habe ich auch die Nacht verbracht, im Wasser. Weil ich unter der Brücke war, konnte ich das Haus nicht sehen. Ich konnte nur die Schreie hören, eine Stunde lang, vielleicht auch zwei. Der letzte Schrei war der einer Frau.«

»Können Sie uns beschreiben, welche Art von Verletzung Sie aus dieser Nacht davontrugen?«

»Schauen Sie sich meine Hand an, mein Gesicht. Was soll ich noch sagen? Durch die Explosion ... mein Hals, alles wurde von Splittern getroffen, alles war verletzt.«

Der Ankläger ordnet die Zettel auf seinem Tisch, schiebt sie zu einem Stapel zusammen und nickt in Richtung der Richter.

Er fing an, den Reißverschluss ihres Anoraks zu öffnen, während sie sich über ihn beugte. Von oben mag es ausgesehen haben, als küsste sie ihn. Aber sie hatte ihre Augen geschlossen und ihre Lippen. Sie hielt sein Gesicht mit ihren kalten

Händen. Er spürte, wie sie sich sanft wehrte, als er versuchte, sie zu küssen, wie der Druck ihrer Hände zunahm und sie ihn nicht an ihre Lippen herankommen ließ. Stattdessen zog er an ihrem Reißverschluss und sah ihren blassen Hals und die sanfte Wölbung ihres Kehlkopfes.

Er sah den weiten Ausschnitt ihres dunklen T-Shirts, das viel zu dünn war für diese Jahreszeit. Wie die Mündung eines Flusses, dachte er. Die blasse Haut, die vom Hals hinabfloss und sich unter dem dunklen Stoff verteilte. Er liebte dieses Delta und wäre am liebsten darin versunken. Er wusste, was käme, wenn er den Reißverschluss ein Stückchen weiter öffnete. Er wusste, wie sich ihr Körper anfühlte, er kannte jede Stelle, die Schultern, deren Knochen so deutlich zu spüren waren, ihre Handgelenke, die er mit Daumen und Fingern umgreifen konnte, ihre kleinen Brüste, die es ihm leichtmachten, sie in die Hände zu nehmen, zu drücken, zu kneten, sich an ihnen festzukrallen und darüber die Besinnung zu verlieren, ihr Bauch, der sich flach zwischen ihren Hüften spannte, mit dem kleinen Nabel in der Mitte, der nicht mehr war als ein Spalt. So heiß war dieser Bauch, dass es ihn jedes Mal überraschte, als hätte er ein Heizkraftwerk unter seiner Decke, und so kalt waren ihre Zehen, diese kleinen, etwas zerknautschten Zehen, als würde die Wärme auf dem Weg durch ihre Beine verlorengehen; diese Beine, die ihm, wenn sie nackt vor ihm stand, zu dünn vorkamen, anderen Männern aber den Kopf verdrehten, wenn sie im kurzen Rock auf die Straße trat, und die Schienbeine, die so gar nicht zum Rest ihres Körpers passten, weil sie Stellen hatten, blaue und braune. Er hatte sich schon oft gefragt, woher sie diese Flecken bekam, weil er sie nie dabei beobachtet hatte, wie sie sich an der Bettkante oder am Tisch stieß.

Sie hatte immer noch die Augen geschlossen, während er ihre blasse Haut betrachtete und den sanften Wind spürte, der über sie hinwegstrich und sie für einen Moment schaudern ließ. Er sagte, dass er sie liebe wie noch keine Frau vor ihr. Er sagte, dass er alles an ihr liebe, und fing an aufzuzählen. Er hatte nicht gesagt, dass sie ihm an jenem Tag an der Ostsee so unberührbar erschien und dass er sich für einen Moment fragte, ob überhaupt schon mal ein Mann mit ihr geschlafen hatte, sich in ihren Körper gedrängt und sie an ihren zarten Handgelenken gehalten hatte. Dass er es war, konnte er sich in diesem Moment nicht vorstellen. Und dass dieser Körper ihm eine Lust bereitete, die ihm neu war. Hinterher sah er die Spuren, die er auf ihrer Haut hinterlassen hatte, und fragte sich, ob er ihr womöglich wehgetan hatte. Diese Vorstellung erschreckte ihn, als er sie über sich gebeugt sah mit zur Hälfte geöffnetem Anorak.

Er nahm ihre Hände und betrachtete sie, suchte nach einer Unebenheit, einer kleinen Narbe und wusste, dass es sie nicht gab. Sie musste sich aufrichten, um nicht das Gleichgewicht zu verlieren. Ihre Finger waren so viel schmaler als seine, die Nägel, ordentlich geschnitten, hatten eine feine Schicht aus farblosem Lack. Er schloss seine Hände um ihre, wollte sie wärmen. Aber sie ließen sich nicht wärmen. Mit ihren Fingern war es wie mit ihren Zehen. Wann immer er sie berührte oder sie ihn, waren sie kalt. Er konnte sich nie daran gewöhnen. Manchmal nahm er sie dann in seine oder schob sie sich in die Hosentasche oder hielt sie sich an die Wange oder legte sie um eine heiße Tasse Tee.

An jenem Tag an der Ostsee hielt er ihre Hände und drückte sie, als könnte so die Kälte aus ihnen weichen. Er drückte sie so fest, dass sie erschrocken die Augen öffnete und ihn ansah.

Ihr Gesicht so nah an seinem, ihre schwarzen Haare im Wind, der, so schien es ihm, auffrischte. »Du tust mir weh«, sagte sie. Und er sagte, er tue alles, um sie glücklich zu machen. »Sag mir, wie ich dich glücklich machen kann.« Aber sie sah ihn nur mit ihren großen dunklen Augen an, und er wusste, was er, hätte sie nur gefragt, geantwortet hätte. »Bleib.«

Der Verteidiger, Mr Nurzet, ein Mann mit kurzen blonden Haaren und auffällig großen Händen, steht auf.

»Nachdem die Männer ins Haus gekommen waren und Sie alle ausgeraubt hatten und das getan haben sollen, was Sie uns gerade beschrieben haben, sind Sie trotzdem im Haus geblieben, haben dort geschlafen und sind nicht geflohen. Haben Sie die Gefahr nicht gesehen, nachdem Sie angeblich bestohlen wurden? Hatten Sie keine Angst?«

Sie sieht vor sich auf den Tisch.

»Was soll ich sagen. Sie nahmen uns alles, nur unsere Seelen haben sie uns gelassen. Wir dachten nicht, dass sie uns die auch noch nehmen würden. Wir dachten, wir seien Menschen und dass wir alle wieder zusammenleben würden. Wir haben niemals gedacht, dass sie das tun könnten, was sie getan haben.«

»Habe ich das richtig verstanden, Sie haben das Haus nicht verlassen, weil Sie glaubten, dass niemand mehr kommen würde?«

»Ja.«

»Haben Sie das Auto gesehen, in dem die Männer weggefahren und wiedergekommen sind?«

»Das Auto, in dem sie gekommen sind, habe ich nicht gesehen, aber ich habe es gehört. Der Auspuff war kaputt, und es machte viel Lärm.«

»Sie sind sich sicher, dass es dasselbe Auto war?«

»Ob da noch andere Autos waren, weiß ich nicht. Ich denke, dass es dasselbe war, aber ich habe es nicht sehen, nur hören können.«

»Darf ich festhalten, dass Sie allein am Geräusch eines Auspuffs zu erkennen glaubten, dass es sich um dasselbe Auto handelte, in dem die Männer weggefahren waren?«

Sie nickt.

»Darf ich Ihr Nicken als Ja deuten?«

»Ja.«

»Haben Sie die Männer, die nachts wiedergekommen sind, erkannt?«

»Nein, aber die anderen aus meiner Familie haben gesagt, dass es dieselben seien, die uns ausgeraubt hätten und die nun zurückgekommen seien, um unsere Seelen zu holen.«

Šimićs Gesichtsausdruck – sieht er nicht entspannter aus als vorhin? Ist das nicht ein Lächeln, ein kurzes, unverhohlenes? Zum ersten Mal scheint es, als höre er konzentriert zu, er spielt nicht mit seiner Krawatte, er betrachtet nicht seine Fingernägel. Er sieht zu, wie sein Verteidiger hinter dem Tisch steht, leicht nach vorn gebeugt, wie er immer wieder Pausen macht, als wolle er die Worte nachhallen lassen.

»Als das Auto mit den Männern wiederkam, war es da schon Nacht?«

»Ja.«

»Gab es Strom im Haus oder irgendeine Straßenbeleuchtung?«

»Wir haben Lichter in den Nachbarhäusern gesehen. In unserem Haus war kein Strom, es gab auch keine Straßenbeleuchtung.«

»Also war es dunkel draußen.«

»Ja.«

Es ist offensichtlich, worauf es hinauslaufen soll. Šimić sei nicht dabei gewesen, als die Hasanovićs angezündet wurden, Šimić habe vermutlich nicht mal davon gewusst, dass das Haus in Brand gesteckt werden sollte, Šimić habe sich, nachdem er mit den anderen weggefahren sei, das Bein verletzt, blöd umgeknickt, gestolpert, weiß der Himmel was, und sei dann ins Krankenhaus gebracht worden. Šimić kennt die Wahrheit, aber er schweigt.

Im Zuschauerraum spürt er die Unruhe. Die Menschen sitzen nicht mehr so regungslos, einige flüstern sich etwas zu, andere bewegen ihre Finger, ihre Arme, wiederum andere wippen mit den Füßen. Er hat das Gefühl, als erzeuge Ungerechtigkeit eine Spannung, die sich nach außen zu entladen sucht. Es fühlt sich an wie ein Jucken im Innern des Körpers. Er kann es nicht genau orten. Er will sich kratzen, aber als sich seine Hand der Stelle nähert, ist es, als liege die Quelle des Juckens um Schichten tiefer. Ihm juckt es an der linken Wade, er versucht, die Stelle durch den Stoff hindurch zu kneifen, dann schiebt er die Finger unter den Saum seiner Hose und merkt, dass es nichts bringt.

Beim Verlassen des Raums drückt er dem Wachmann den Kopfhörer in die Hand, wie es von jedem Besucher erwartet wird. Er geht die Treppen hinunter, durchs Foyer und dann hinaus ins Freie. Er bleibt eine Weile auf den Eingangsstufen stehen und entschließt sich dann, seine Jacke zu holen, die er in einem Schließfach in dem Häuschen vor dem Gerichtsgebäude lassen musste. Dort ist auch noch sein Personalausweis. Er wird ihn auslösen und den Scheveningseweg entlang in Richtung Meer gehen; es ist die Straße, die er heute Morgen gekommen ist.

Es hat aufgehört zu schneien, aber die Dämmerung hat die Stadt umhüllt, die ersten Autos fahren schon mit Licht. Wie spät mag es sein? Er hat keine Uhr. Er drückt sein Gesicht an das Beifahrerfenster eines parkenden Autos, in der Hoffnung, eine Uhr zwischen den Armaturen zu entdecken. Er geht weiter. Eine puderige Schicht aus Schnee liegt auf dem Gehweg, aber sie schmilzt sofort unter seinen Schuhen. Als eine Frau ihm entgegenkommt, fragt er sie nach der Uhrzeit. »*Could you please tell me what time it is?*« Sie sieht ihn kurz an, dann zieht sie das Bündchen ihres Anorakärmels hoch. »*Ten past four.*« Er bedankt sich und geht weiter.

Eine Stunde noch muss sie durchhalten. Dürfte eine Zeugin einfach den Gerichtssaal verlassen? Was würde passieren? Würden sie ihr dann auch zwei Wachleute zur Seite stellen? Im Gegensatz zum Angeklagten ist sie freiwillig dort. Šimić hätte sich auch stellen können. Aber das hat er nicht getan. Er musste erst verhaftet und nach Den Haag gebracht werden, damit man ihm den Prozess machen konnte. Er hätte sich stellen können, wenigstens das.

Obwohl er langsam geht, schwitzt er in seiner Jacke. Er sieht sich um, ob nicht vielleicht eine Straßenbahn kommt. Er bleibt kurz unter dem Dach der Haltestelle. Es beruhigt ihn, dieses Dach so nah über seinem Kopf zu haben.

Sie sind sich im Theater begegnet. Sie saß in der Garderobe am Ende des breiten Flurs, vor all den Jacken und Mänteln, und war in ein Buch vertieft. Ihre langen, schlanken Beine hatte sie auf den Tresen gelegt. Er hatte den Saal noch vor der Pause verlassen und stand etwas verloren im Foyer. Als sie ihn bemerkte, klappte sie ihr Buch zu und sah ihn an. Er machte ein paar Schritte in ihre Richtung. »Magst du Shakespeare?«, fragte sie ihn, als er nahe genug war. Er wusste nicht, was er darauf antworten sollte. Er las den Titel des Buches, das sie auf dem Tresen abgelegt hatte: *King Lear*. Er brachte es nicht über sich, nein zu sagen. »Ich liebe Shakespeare«, sagte sie, und er mochte, wie sie das R rollte, und fragte sich, woher sie stammte, und war auf Polen gekommen und erfuhr dann, dass sie Ana hieß, Serbin war und hier in Berlin studierte.

Am nächsten Morgen war er gleich in die Buchhandlung gelaufen und hatte sich Reclam-Ausgaben von *King Lear, Romeo und Julia* und *Macbeth* gekauft.

Manchmal fragt er sich, ob sie zusammengekommen wären, hätte er die Wahrheit gesagt. Er hatte sie belogen, er hatte noch nie Shakespeare gelesen. An dem ersten Abend aber konnte er die Wahrheit nicht sagen. Es war nicht mehr als eine kleine Notlüge, um ihr nahezukommen.

Dies ist die exzellente Torheit der Welt, dass wir, wenn wir am Schicksal kranken – oft die Übersättigung durch unser eigenes Verhalten –, die Schuld an unserem Unglück der

> *Sonne, dem Mond und den Sternen geben; als ob wir Schurken wären aus Notwendigkeit, Narren durch himmlischen Zwang, Schelme, Diebe und Verräter durch sphärische Vorherrschaft, Trunkenbolde, Lügner und Ehebrecher durch erzwungenen Gehorsam gegenüber planetarischem Einfluss und alles, worin wir böse sind, durch göttliches Antreiben.*

Er steht am Fenster und drückt sein Gesicht gegen das Glas. Er sieht hinaus. Der Himmel muss verhangen sein, er sieht keine Sterne, keinen Mondschein, nur weit draußen, wo er den Horizont vermutet, ein paar Lichter. Am Morgen, als er beim Frühstück saß, hat er Tanker gesehen, die den Streifen Meer in Richtung Rotterdam passierten. Er wundert sich, wie spärlich sie beleuchtet sind: ein, zwei Lichter für diese Ungetüme.

Als ein Auto in die Straße einbiegt und die Scheinwerfer für einen Moment über den Strand gleiten, glaubt er das Wasser zu sehen.

Wie spät mag es sein? Zwei Uhr? Drei? Das Foyer ist dunkel, sonst würde ein Lichtschein den Bürgersteig vor dem Haus beleuchten. Es ist eine kleine Pension, in die er sich einquartiert hat. Der Name hatte ihm gefallen, und um diese Jahreszeit, im Dezember, war es nicht schwierig gewesen, ein Zimmer zu bekommen. Sogar eines mit Blick aufs Meer. Möglicherweise war er sogar der einzige Gast, er war auf dem Flur keinem anderen begegnet. Es ist so still, kein Grollen, keine Brandung. Schlösse er die Augen, er könnte woanders sein, nicht in Den Haag, es müsste nicht mal eine Stadt sein, obwohl die Stille einer Stadt eine andere ist, eine drückende Stille, wie eine träge Masse, die sich zwischen den Häusern staut.

Ihm fällt das Wort wieder ein, Bonaca. Er hat es später in dem kleinen Wörterbuch, das sie ihm geschenkt hatte, gesucht. Aber er fand es nicht.

Nach dem Ende der Vorstellung füllte sich das Foyer, und vor ihrem Tresen drängten sich die Menschen und hielten, bevor sie an die Reihe kamen, ihre Nummern bereit. Ana nahm sie entgegen, verschwand dann für einen Moment zwischen den Mänteln und legte anschließend welche auf den Tresen. Sie sah diejenigen, die vor ihr standen, nicht an, sie sah nur auf die Nummern, die sie ihr hinhielten. Es war heiß in der Garderobe, ihr standen kleine Schweißtropfen auf der Nasenwurzel und später auch auf der Stirn. Als sie den letzten Mantel vom Haken genommen hatte und ihnen der letzte Wartende den Rücken kehrte, als sie für einen Moment da stand, mit hochgeschobenen Ärmeln, die Hände in den Hüften, tat er etwas, das ihn heute noch erstaunt. Er fuhr mit seinem Zeigefinger ihren Nasenrücken entlang, von der Spitze bis zur Wurzel. Diese Berührung kam für beide überraschend. Er war eigentlich viel zu zögerlich und hatte mit Sicherheit im Leben schon die eine oder andere Gelegenheit ungenutzt gelassen, weil ihm der Gedanke furchtbar erschien, abgewiesen zu werden oder, noch schlimmer, sich aufzudrängen. Ana sagte nichts.

An jedem der folgenden Abende saß er in der Vorstellung, die er schon beim ersten Mal nicht mochte, schob sich noch vor der Pause durch die Sitzreihe, was zu viel Unmut unter den anderen Zuschauern führte, und hoffte, als er die Tür öffnete und ins Foyer trat, dass sie da sitzen würde, in der Garderobe, wie am ersten Abend, obwohl er wusste, dass sie nicht da sein würde, weil ihm vor Beginn der Vorstellung eine andere

Frau den Mantel abgenommen hatte, eine Frau, die nicht die geringste Ähnlichkeit mit Ana hatte.

Er wusste wenig über Ana – dass sie siebenundzwanzig war, Germanistik studierte, dass sie ein Jahr zuvor mit Hilfe eines Stipendiums nach Berlin gekommen war, dass sie in Belgrad gelebt und Deutsch schon in der Schule gelernt hatte. Er hatte ihr von seinem Vater erzählt, der aus Karlovac stammte, und sie hatte sich gefreut und gesagt, dass sie dann ja in ihrer Sprache miteinander reden könnten. »Leider nicht«, hatte er gesagt und ihr erklärt, dass er in Deutschland geboren und aufgewachsen sei und sein Vater nie mit ihm Kroatisch gesprochen habe. »Und du verstehst wirklich nichts?«, hatte sie gefragt, und er hatte den Kopf geschüttelt.

Zum Abschied hatte sie ihm einen Kuss auf die Wange gegeben, aber keine Nummer, unter der er sie hätte erreichen können. Auch keinen Nachnamen, nur Ana – »drei Buchstaben«, hatte sie gesagt, »ein Palindrom«. Und da war es wieder gewesen, das rollende R, das ihm in den folgenden Tagen nicht aus den Ohren ging und das er manchmal, wenn er allein war, nachsprach oder es zumindest versuchte. Sein Name hatte zwei dieser R, Robert.

Er steht am Fenster und hat sie wieder im Ohr, diese Worte, die er leise ausspricht, »Berlin«, »Belgrad«, »Garderobe«, »Germanistik«, die Zunge leicht vibrierend am Gaumen – ein Luftstoß, der ihm trockene Lippen hinterlässt –, und seinen Namen, wie nur Ana ihn ausspricht, und für einen Moment glaubt er, sie zu hören. Ihre Stimme, die immer so klar ist, selbst morgens nach dem Aufwachen, wenn sich seine noch finden muss. Manchmal bat er sie, ihm etwas ins Ohr zu sprechen, und wenn sie nicht nah genug war, damit er das Kitzeln spüren konnte, sagte er: »Ich höre dich nicht«, und sie legte ihre Lippen auf sein Ohr und flüsterte, und selbst wenn er wollte, er hätte sich nicht gegen die innere Erregung wehren können, die ihre Stimme, so dicht an seinem Ohr, auslöste. Allein die Vorstellung genügt, um einen warmen Strom durch seinen Körper fließen zu lassen, vom Hals abwärts, zwischen den Lungen hindurch, tief in den Magen hinein. Allerweltsworte hätten genügt, aber sie machte sich jedes Mal einen Spaß daraus und hauchte ihm Sätze ins Ohr, die ihn aus der Fassung brachten. »Ich will dich.« – »Gefällt dir das?« – »Soll ich?« Er spürt, wie sich die Erregung in seinem Körper ausbreitet.

Er steht immer noch vor dem Fenster, die Stirn an das kalte Glas gelegt. Ein Gefühl von Taubheit hat sich in den Kiefer gezogen. Er steht da, äußerlich reglos. Es ist dunkel im Zimmer, vielleicht spürt er sie deswegen so deutlich.

Ana steht hinter ihm, dicht genug, um ihn zu berühren, ihn zu umarmen, sich an ihn zu drücken. Ihr Atmen, das sich in seiner Ohrmuschel verfängt, ein Sturm, den er sich herbeisehnt, und dann die Stille nach dem Sturm, die Erwartung der ersten Silbe. Die Zunge vibrierend am Gaumen, so fängt sein Name an. Dann die Pause vor dem nächsten Luftstoß. »Hast du mich vermisst?« Ihre schmalen Arme um seinen Körper. Jeden Tag, jede Nacht. »Ana, ich höre dich nicht.« Dann spürt er es, das Kitzeln. Aber er hört sie immer noch nicht. Drei Wochen und vier Tage ist es her. Fünfundzwanzig Tage und Nächte, seit er ihre Wohnung verlassen hat. Acht Monate, seit sie am Ostseestrand lagen. Zehn Monate seit dem Abend im Theater und den Tagen, die darauf folgten. In denen er nur eines im Sinn hatte: ihr wiederzubegegnen.

Am sechsten Abend war sie wieder da und schien nicht überrascht, ihn zu sehen. Sie nahm seinen Mantel entgegen und gab ihm eine Nummer. Sie fragte, ob er sich das Stück anschaue, und er sagte, er habe es viermal bis kurz vor der Pause gesehen. Dass sie nur samstags und sonntags da sei, sagte sie und ließ ihn in die Garderobe, obwohl das nicht gern gesehen war, und sie saßen dort, vor der holzvertäfelten Wand und der Heizung, die gelegentlich ein Gluckern von sich gab.

Sie sprachen über die Stadt, und er war überrascht, dass sie jede Kneipe in der Kastanienallee, der Bergmannstraße und der Simon-Dach-Straße kannte. Sie mochte das Lovelite, das Maria am Ostbahnhof und den kleinen Zosch. Clubs, in denen er selbst noch nie gewesen war. Sie mochte Berlin, weil in dieser Stadt jeder seinen Platz finden konnte, seinen Platz unter dem Himmel, wie sie es nannte.

Er fragte sich, wo er seinen Platz hatte. Am wohlsten fühlte er sich in seiner kleinen Wohnung und in seinem Büro bei den Historikern, wo er als Assistent seines Professors arbeitete.

Er stellte sich Ana vor, zwischen all den schwitzenden Körpern, ihre nackten Arme und Schultern unter einem Tank Top. Sie sprach von Freiheit und Dekadenz und er von seiner Dissertation. Er erinnert sich, dass sie ihm später mal mit dem Zeigefinger an die Stirn tippte und sagte: »Das Leben findet draußen statt, nicht da drin.«

Woher hatte sie so bald schon wissen können, dass es genau diese Sehnsucht nach dem Draußen war, die ihn um sein inneres Gleichgewicht brachte? Er brauchte jemanden, der ihn provozierte, so sonderbar das auch klang. Schon in der Schule war es so gewesen. Komm! Los! Traust dich wohl nicht! Ana war die erste Frau, der das von der ersten Begegnung an klar zu sein schien. Sie war die Frau, auf die er immer gehofft hatte.

Mit dem Abstand von zehn Monaten weiß er, dass sie ihn besser kannte als er sie. Und er fragt sich, ob er zu feige war.

Ob er sie in den Momenten, die ihn verunsicherten, weil sie schwieg und nichts von sich erzählte, zu einer Antwort hätte drängen müssen. Und woher die Angst kam, damit ihre Liebe zu riskieren.

Auf dem Meer sieht er keine Lichter mehr; die zwei, die er vorhin noch zu erkennen glaubte, sind offenbar längst vorbeigezogen. Am Himmel keine Spur vom heranziehenden Morgen.

Sie lag neben ihm, die Augenlider geschlossen, die Lippen leicht geöffnet, ein paar Haarsträhnen an den Schläfen klebend. Er war aufgewacht und hatte sich in ihrem Zimmer umgeschaut. Damals, in den ersten Wochen, hatte er versucht, alles zu deuten. Die Bücher, die sie las, die Musik, die sie hörte, jede Kleinigkeit sollte ihm helfen, ihr nahe zu sein, in jeder Kleinigkeit, dachte er, sei ein Teil von ihr zu erkennen.

Die Zimmerwände waren grün gestrichen, vor dem Fenster hatte sie ihren Schreibtisch, eine Holzplatte auf zwei Böcken, neben dem Computer lagen Papiere, in einer Vase auf dem Tisch steckte ein Strauß bunter Blumen. Er ertappte sich bei dem Gedanken, dass es noch einen anderen geben könnte. Er hatte sich ihr Zimmer anders vorgestellt, voller, beengter, Gegenstände, die ihren Platz hatten, Kleinigkeiten, die die Regale mit Erinnerungen füllten.

In der Küche hatte sie einen Tisch mit zwei Klappstühlen, einen Kühlschrank, der bis zu dem Bord an der Wand reichte, auf dem das wenige Geschirr stand. Im Bad waren über dem Waschbecken ein paar Flakons aufgereiht, Schminksachen, eine rosa Zahnbürste stak diagonal aus einem Porzellanbecher, an der Wand hing ein Spiegel. Auf den blauen Fliesen lag ein kleiner, runder weißer Teppich.

Es war der Morgen, an dem er auch das Foto zum ersten

Mal sah. Es hing über ihrem Schreibtisch. Sie hatte es mit einer Nadel befestigt. Auf dem Foto war ein kräftiger Mann zu sehen, mit dichtem schwarzem Haar und einem breiten Gesicht. Seine Augen waren ihre Augen. Und auch die zwei winzigen Falten neben dem Mund erkannte er sofort. Der Mann war ihr Vater. Und er hatte gedacht: Was für ein gutmütiger Vater, er mochte hin und wieder streng sein, vielleicht sogar aufbrausend, aber in seinen Augen war nichts als Güte.

Sie hatte beobachtet, wie er sich in ihrem Zimmer umgesehen hatte, wie er vor ihrem Schreibtisch stehen geblieben war und die Bücher in ihrem Regal begutachtet hatte. »Und?« fragte sie. »Was weißt du jetzt über mich?« Sie schlug die Bettdecke zurück und schlug sanft mit der Hand auf die Matratze. Und als er wieder neben ihr lag, umarmte sie ihn und legte ihr Gesicht auf seine Schulter, und er sagte: »Alles.«

Manchmal fragt er sich, ob es nicht besser gewesen wäre, er hätte von alldem nie erfahren, weil er sie hätte lieben können, ohne die Liebe vor sich selbst in Frage zu stellen. Er hätte nie von alldem erfahren, hätte er nicht alles wissen wollen.

Manchmal hat er sich vorgestellt, wie Ana und er am Flughafen ihren Vater abholen. Sie kann kaum erwarten, dass sich die Schiebetür endlich öffnet und ihr Vater heraustritt, mit seinem Koffer in der Hand, zwischen den anderen Passagieren. Sie breitet die Arme aus wie ein kleines Kind, nur dass ihr Vater nicht in die Hocke geht, sondern den Koffer abstellt und, während sie ihre Arme um seinen Hals schlingt, seine Hand auf ihren Hinterkopf legt und ihren Kopf an seine Brust drückt. Während er sie festhält und sie ihn umarmt, blickt er sich um und findet ihn, in einigem Abstand zu ihnen, und sieht ihn an, ernst, aber nicht feindselig. Ana sagt dann etwas zu ihrem Vater, das er nicht versteht. Der Vater gibt ihm die Hand und sagt: »*Ana told me a lot about you. She is very happy.*«

Die Dunkelheit ist wie ein Spiegel, in dem er sich selbst befühlen kann. Wie lange steht er hier schon? Stunden? Tage? Wochen? Nichts bewegt sich. Und er fragt sich, woran man im Dunkeln sehen soll, dass das Leben weitergeht. Fühlte er den Herzschlag nicht, spürte er sein Atmen nicht, nichts würde darauf hindeuten, dass sich das Leben weiterbewegte; die Dunkelheit ist ein See, kein Fluss. Nicht umsonst kommen nachts die Erinnerungen. Einmal ist er aufgewacht, weil er einen erstickten Schrei gehört hatte und im Moment des Aufwachens nicht mehr sicher war, ob er ihn gehört oder geträumt hatte, es war still im Zimmer, Ana lag neben ihm, sie atmete schwer, unruhig, sie zuckte zusammen, als er seine Hand auf ihren Bauch legte, aber offenbar beruhigte seine Hand sie, und er schlief wieder ein. Wie oft mag sie neben ihm gelegen haben, voller Unruhe, ohne dass er es gemerkt hatte?

Er öffnet das Fenster. Die kalte Luft nimmt in einem Zug das Zimmer in Besitz. Er legt sich ins Bett und zieht die Decke bis unters Kinn. Er sieht im Dunkeln, wie sich die dünnen Sommervorhänge blähen und sich einzelne Seiten der Zeitung auf dem Tisch aufwallen.

Er tastet mit der Hand nach dem Kabel der Nachttischlampe und schaltet das Licht ein. Er schlägt die Decke zurück und betrachtet seine Füße, bewegt seine Zehen. »Ich mag schmale Männer«, hatte sie gesagt, »ich mag deine Augen, du hast schöne Hände, ich mag deine schmalen Finger, deine Lippen. Du bist schön.« Mit den Fingerkuppen strich sie über seinen Körper, von der Stirn über die Nasenwurzel über die Lippen über das Kinn über seinen Kehlkopf den Hals hinunter, sie zog eine gerade Linie, die Mitte seiner Brust entlang über den Bauch, verweilte mit einer Fingerkuppe im Nabel, umkurvte das Dickicht und folgte dem linken Bein, über die Kniescheibe, bis zur Spitze des großen Zehs; während ihrer Reise hatte er seine Augen geschlossen und wünschte sich, er wäre drei bis vier Meter groß.

Sie sagte, dass Menschen, die nicht trinken, Angst hätten vor dem Leben, weil sie Angst hätten, loszulassen. Dann steckte sie sich eine Zigarette zwischen die Lippen. Und er dachte: Welch wunderbare Lippen, nicht zu üppig, nicht zu schmal, mit perfektem Schwung! Sie saßen in ihrer Küche. Sie hatte zwei Gläser auf den Tisch gestellt, dazu eine Flasche ohne Etikett. Er ahnte, was es war. Sie erklärte ihm, dass der Name vom slawischen Wort für Zwetschge abstammte, *šljiva*, und dass es ihn in zwei Farben gab: Weiß und Gold. Im Winter trank man ihn, um sich schnell zu erwärmen, mit Zucker gekocht und heiß.

»Was bist du nur für ein Kroate, der das nicht weiß!« Sie hob ihr Glas und streckte es ihm entgegen. »*Živeli* heißt bei uns: ›Lass uns leben.‹«

»Schiwili«, sagte er.

Sie lachte.

Es war das einzige Wort gewesen, das ihm geläufig war. Aber er hatte nicht gewusst, dass es vom Leben handelt. Er hatte gedacht, es bedeute »Prost!«.

Lass uns leben. Damals war es eine Aufforderung, aber es konnte auch ein Flehen sein. In einer anderen Tonlage oder einer anderen Situation bekam das Wort eine andere Bedeutung. Er muss an Šimić denken und daran, welchen bitteren Nachhall dieser Trinkspruch in seiner Gegenwart hätte. Lass uns leben. Er muss an die Fernsehbilder aus Srebrenica denken, Mladić und der niederländische Kommandeur stoßen gemeinsam an. *Živeli.* Danach waren achttausend Menschen tot.

An all das dachte er an jenem Abend in ihrer Küche nicht. Wie sich im Rückblick die Bedeutungen änderten, sogar einzelne Wörter bekamen einen anderen Sinn, völlig unverfängliche Wörter.

Damals dachte er, wie schön das Leben sei, und sie stießen ein ums andere Mal an, und jedes Mal sagte er: »*Živeli.*«

Sie lachte, weil Alkohol bei ihm so schnell wirkte. »Das Trinken musst du noch lernen.«

»Warum?«, fragte er.

»Weil es zum Leben dazugehört.«

Er schloss die Augen und trank den Rest aus und spürte bald darauf schon den Schwindel, der seinen Körper befiel. Er öffnete die Augen wieder und hielt sich mit einer Hand am Tisch fest. Sie sah ihn an, beugte sich über den Tisch und küsste ihn aufs Ohr und flüsterte ihm mit dieser Stimme, in die er sich längst verliebt hatte, ein Wort zu, das ihm bis dahin nur als Name geläufig war. »*Zlatko.*«

»Weißt du, was das heißt?«, fragte sie.

Er schüttelte den Kopf.

»Der Goldige.«

Wie ein und dieselben Wörter so unterschiedliche Bedeutungen haben konnten! Er fragt sich, ob Ana und er jemals wieder in der Lage sein könnten, der Sprache des anderen zu vertrauen. Der Goldige. Wie könnte er jemals wieder diesen Vornamen aussprechen? Oder ihn auch nur hören?

Der Mann, der am nächsten Morgen als Zeuge im Gerichtssaal sitzt, macht einen aufgeregten Eindruck. Er weiß offenbar nicht, wohin mit seinen Händen, mal liegen sie auf seinem

Schoß, mal auf dem Tisch. Er rückt auffallend häufig den Kragen seines weißen Hemdes zurecht. Er ist hager, seine Wangen sind eingefallen, am Hals klebt ein kleines Pflaster, offenbar um einen Rasierschnitt zu verdecken.

Der Mann kennt Šimić nicht. Das hat er zu Beginn der Befragung gesagt. »*Ne*«, hat er gesagt und nach einer kurzen Pause diese Silbe wiederholt, diesmal gedehnt, und dabei den Kopf geschüttelt.

Er lässt, hinter der Scheibe sitzend, die Stimme des Zeugen auf sich wirken. Er schließt die Augen. Die Stimme ist überraschend kräftig, er hat eine leise Stimme erwartet.

Der Ankläger sieht den Zeugen lange an.

»Können Sie uns bitte schildern, was Sie über die abgebrannten Häuser wissen?«

»Die Häuser gehörten Muslimen.«

»Von wie vielen abgebrannten Häusern wissen Sie?«

»Ich kann Ihnen die genaue Anzahl nicht nennen, aber ich habe einige Häuser in Flammen gesehen. Vom Dachgeschoss meines Hauses aus konnte ich einen großen Teil von Višegrad überblicken.«

»Konnten Sie auch die Drina sehen?«

»Ja, ich habe viele Leichen in der Drina gesehen. Wir konnten sie nicht aus dem Wasser holen, weil die ganze Zeit geschossen wurde. Ich erinnere mich an eine Frau mit einem kleinen Kind. Sie saßen auf einem Brett und trieben den Fluss abwärts.«

»Bis wann waren Sie in Višegrad?«

»Bis zum 14. Juni 1992.«

Mr Bloom macht eine Pause, als wollte er, dass jeder im Raum sich dieses Datums bewusst werde.

»Warum haben Sie an jenem Tag die Stadt verlassen?«

»Am 13. Juni kam ein Nachbar zu mir, ein Serbe, sein Name ist Antić, und er sagte, es werde eine ethnische Säuberung geben, ein Konvoi sei für den nächsten Tag organisiert, um die Einwohner aus der Stadt zu bringen. Er sagte, er rate mir und meiner Familie, mitzufahren.«

»Haben Sie ihm vertraut?«

»Ja, in dem Moment dachte ich, er mache sich Sorgen um uns. Ich meine, ich habe dreißig Jahre neben ihm gewohnt, ich hatte keinen Grund, an dem, was er sagte, zu zweifeln.«

»Wissen Sie, ob es eine Zusammenarbeit mit offiziellen Organisationen gab?«

»Antić sagte, er habe im Radio gehört, dass alle Bewohner aufgerufen seien, mit diesem Konvoi die Stadt zu verlassen. Die Meldung sei mehrmals wiederholt worden. Er sprach auch vom Roten Kreuz. Überprüft haben wir das zu dem Zeitpunkt aber nicht.«

Mr Bloom blickt kurz zum Vorsitzenden Richter.

»Was geschah am Morgen des 14. Juni 1992?«

»Um sieben Uhr kamen zwei Busse an. Wir waren viele Leute. Auch Serben waren da, um uns zu verabschieden. Es gab sogar Tränen. Dann haben wir die Busse bestiegen.«

»Haben Sie eine genaue Zahl, wie viele Menschen es waren?«

»Ich habe sie nicht gezählt, aber ich schätze, so hundert oder hundertfünfzig Menschen. Später sollten noch mehr Busse kommen.«

»Mit welchem Gefühl sind die Menschen in die Busse gestiegen? Hatten Sie Angst?«

»Wir dachten immer noch, wir würden gerettet werden. Wir haben ihnen vertraut.«

»Und das Rote Kreuz?«

»Es gab kein Rotes Kreuz.«

Schon gestern, als die Zeugin erzählt hatte, wie sie Šimić auf der Brücke begegnete und er ihnen anbot, sich um ihre Familie zu kümmern, hatte er dieses Bild vor Augen: Šimić, der einfach dasteht, in der Mitte der Brücke. In seiner Vorstellung sieht er verloren aus, einsam. Er hat versucht, ihm das Gesicht zu geben, das er hinter der Scheibe sieht, aber er sieht immer diesen Mann vom Foto, den Mann mit den gutmütigen Augen.

»Wer hat Sie begleitet?«

»Meine Frau und meine beiden Töchter.«

»Wie alt waren Ihre Töchter damals?«

»Die eine, Ivanka, war vierzehn, die andere, Branka, war neun.«

»Waren Sie die ganze Zeit zusammen im Bus?«

»Nein, kurz nachdem wir Višegrad verlassen hatten, hielten die Busse. Frauen, Alte und Kinder wurden in den anderen Bus gebracht, die Männer in unseren. Der andere Bus fuhr weiter, unserer drehte um und fuhr in die Richtung zurück, aus der wir gekommen waren. Irgendwann hielt der Bus, und wir verbrachten die Nacht auf einem Parkplatz im Wald. Es war dunkel, und wir hatten kein Licht.«

»Wie viele Männer waren im Bus?«

»Ich zählte vierzig, aber viele lagen in den Gängen, ich weiß nicht, ob ich jeden mitgezählt habe.«

»Was geschah dann?«

»Am Morgen kam ein Auto, und ein paar Männer stiegen aus, sie waren bewaffnet, sie kamen in den Bus und befahlen uns, ihnen alles zu geben, was wir hatten. Dokumente, Uhren, Schmuck, Geld. Sie ließen Tüten herumgehen, in die wir unsere Sachen hineintun mussten.«

»Welcher ethnischen Zugehörigkeit waren die Männer im Bus?«

»Muslime, zu hundert Prozent.«

»Wie ging es weiter?«

»Sie fesselten uns die Hände auf dem Rücken. Mit Kabeln. Dann mussten wir einzeln aus dem Bus steigen. Wir mussten uns nebeneinander hinknien. Ich war der Letzte in der Reihe.«

Die ganze Zeit wirkte der Mann aufgeregt, aber jetzt ist er auf einmal ruhig, seine Hände liegen auf dem Tisch, in den Fingern keine Regung. Die plötzliche Ruhe ist schwer zu ertragen. Auch die Dolmetscherin scheint es zu bemerken. Ihm ist, als wäre ihre Stimme um eine Nuance leiser geworden.

»Fahren Sie bitte fort.«

»Einer der Männer fragte mich, wie viele Serben ich getötet hätte. Ich sagte, keine. Und er sagte, das sei nicht, was er hören wolle. Dann spürte ich einen Schlag im Nacken.«

»Was ist zu dem Zeitpunkt in Ihnen vorgegangen?«

»Es ist schwer zu beschreiben, was mir durch den Kopf ging. Mein Hirn war wie blockiert. Ich konnte keinen Gedanken fassen. Ich blickte mich um und sah, dass einige Männer in der Reihe fehlten. Dann sah ich, wie die Serben die Nächsten in den Wald zerrten. Ich merkte auf einmal, wie ich anfing zu laufen. Zuerst hörte ich nichts, aber dann schrie jemand. Dann fielen Schüsse, es war ein wildes Durcheinander von Schüssen aus allen Richtungen, ich weiß nicht, was hinter mir geschah, aber ich nehme an, dass auch die anderen losgerannt waren und zu flüchten versuchten, und das war meine Rettung; wäre ich der Einzige gewesen, wäre irgendeiner der Männer hinter mir hergelaufen und hätte mich erwischt. Ich versuchte einfach, so weit und schnell zu laufen, wie ich konnte. Ich rutschte eine Böschung hinab, stand auf und lief weiter, ich überquerte eine Straße. Ich rannte, bis ich mich in einem Dorf in Sicherheit bringen konnte.«

»Was ist mit Ihrer Familie passiert?«

»Meiner Familie ging es gut. Der Bus hatte sie nach Skopje gebracht. Aber das habe ich erst eine Woche später erfahren.«

»Fällt es Ihnen schwer, all das hier vor Gericht zu erzählen?«

Der Mann legt seine Hände übereinander. Dann sieht er zum ersten Mal durch den Raum, und es scheint, als würde er jeden kurz anschauen, erst den Ankläger, dann die Richter, die Verteidiger und zum Schluss Šimić.

»Ich sitze hier, damit niemand vergessen kann. Solange es Menschen gibt, die erzählen, bleibt die Erinnerung wach und die Hoffnung, dass die Schuldigen bestraft werden. Wer schweigt, der hilft ihnen. Deswegen fällt es mir nicht schwer, hier zu sitzen und zu erzählen.«

Es war ein englisches Exemplar von *King Lear*, das Ana ihm mitgab. Der Einband war dunkelblau und aus Leinen, die ersten Seiten hingen nur noch zum Teil im Leim. Er fragte sich, wie oft sie dieses Buch wohl schon aufgeschlagen hatte, wie oft ihre Finger durch die Seiten geglitten waren. Auf der zweiten Seite war eine handschriftliche Widmung. Zwei kyrillische Sätze, mit blauer Tinte geschrieben. Einzig das Datum konnte er lesen: 10.4.92. Ana war damals elf.

Als er sie nach der Widmung fragte, sagte sie, ihr Vater habe sie geschrieben. Er wollte wissen, was sie bedeutete. »Für meine Cordana«, sagte sie. »Er hat geschrieben, dass ich das Buch immer bei mir haben soll, weil niemand mehr vom Leben versteht als Shakespeare.« Sie musste nicht mal das Buch aufschlagen, um sich an die Worte zu erinnern. Er hielt das Buch in den Händen. Dann klappte er den Deckel auf, schlug die Seite um und zeigte auf das Wort vor dem Datum. »Und was steht hier?« Sie schaute kurz auf die Seite und sagte: »Višegrad.« Er wollte wissen, ob das eine Stadt sei, und sie sagte, eine Kleinstadt im Osten Bosniens. Er sagte: »Ich dachte, du kommst aus Belgrad.« Und sie sagte: »Wir haben vorher in Višegrad gelebt.« Dann sagte sie nichts mehr. Und er sagte: »Cordana. Der Name gefällt mir.«

Später, zu Hause, hat er nach diesem Ort gesucht, dessen Namen er zuvor noch nie gehört hatte. Er sah sich Fotos im Internet an, er erfuhr, dass es eine berühmte Brücke gab, die zur Zeit der Osmanen über die Drina gebaut worden war und von der das Buch *Die Brücke über die Drina* handelte, eines von drei Büchern der »Bosnischen Trilogie«. Ivo Andrić bekam 1961 den Literaturnobelpreis.

Er erfuhr, dass die Stadt im Jugoslawienkrieg eine traurige Berühmtheit als zweites Srebrenica erlangt hatte. Er las von Toten in der Drina, von den Anwohnern des Dorfes Slap, die an einem Frühlingstag des Jahres 1992 eine erste Leiche aus dem Wasser zogen und sie auf dem nahen Friedhof beerdigten, nicht wissend, wer der Tote war. Und der Fluss spülte in den nächsten Wochen noch Hunderte weitere an. Die Leichen, die die Bewohner von Slap aus dem Fluss zogen, beerdigten sie heimlich. In den dunklen, stillen Nächten trugen etwa fünfzig Helfer aus der Gegend die Toten zu Grabe, um nicht ins Visier der serbischen Scharfschützen zu geraten. Sie begruben hundertachtzig Leichen; spätere Untersuchungen ergaben, dass von all den Leichen, die in der Drina trieben, nur jede zwanzigste Leiche aus dem Wasser geborgen worden war. Zwischen April 1992 und Oktober 1994 wurden Tausende

Muslime in und um Višegrad misshandelt und ermordet. Während er von alldem las, versuchte er sich Ana vorzustellen in dieser Kleinstadt, in der sich die Menschen die Kehlen aufschlitzten. Er versuchte, sich vorzustellen, wie sie als Mädchen an der Brüstung der Brücke stand und hinuntersah auf die Drina. Aber statt der Leichen sah er nur die Sonne auf einer gekräuselten Wasseroberfläche glitzern.

Nach zehn Jahren wurden zwei der mutmaßlichen Täter gefasst und nach Den Haag ausgeliefert. Milan Marić und Boris Lukić. Ihnen wurde vorgeworfen, für den Mord an einhundertvierzig Menschen verantwortlich zu sein. Marić war damals vierundzwanzig Jahre alt. Aus der Zeit vor dem Krieg war der Serbe vielen als guter Nachbar in Erinnerung, der ab und an mit seinen muslimischen Freunden in die Moschee ging. Mit Kriegsbeginn nannte er sich einen »Rächer« und fing an zu foltern, zu vergewaltigen und zu morden.

Es war auch das erste Mal, dass er von dem Verbrechen erfuhr, bei dem zweiundvierzig Angehörige einer Familie in ein Haus gelockt und angezündet wurden. Auch für diese Tat sollen Marić und Lukić zusammen mit anderen Komplizen verantwortlich gewesen sein.

Er wollte Ana in den Arm nehmen, sie trösten, er wollte sie ansehen und ihr eine Haarsträhne aus dem Gesicht streichen. Er wollte, dass sie ihm alles erzählte, weil er dachte, es würde ihr helfen. Sprechen, dachte er, sei die einzige Möglichkeit.

Er las den Roman von Andrić und hat seitdem ein Bild der Drina vor Augen, ohne sie jemals gesehen zu haben. Es ist fast eine Sehnsucht entstanden nach diesem Fluss mit seiner grünen und überschäumenden Wassermasse, der durch Schluchten und Täler mit schroff abfallenden Ufern fließt. Es ist der Fluss ihrer Kindheit. Jeden Tag, wenn sie auf der Brücke stand oder am Ufer und flussaufwärts blickte, sah sie die schwarzen und steilen Berge, die sich vor der Stadt auftürmten.

Grün sei das Wasser, so grün wie kein anderes, und voller Huchen. Er sah ganze Schwärme, die sich im Schatten der Brückenbögen sammelten. Im Mittelpfeiler der Brücke, schrieb Andrić, lebte der Schwarze Mann. Er hatte dort ein großes, dunkles Zimmer. Wem er sich zeigte, der musste sterben. In dem Pfeiler war eine größere Öffnung, wie eine riesige Schießscharte. Vom Ufer aus sahen die Kinder in diese Öffnung wie in einen Abgrund. Sie starrten alle in den breiten, dunklen Riss, zitternd vor Neugierde und Furcht, bis es schien, als finge die Öffnung an, sich wie ein schwarzer Vorhang zu bewegen. Wer zuerst erschauerte, der sollte rufen. Nachts im Schlaf rangen und kämpften manche der Kinder mit diesem Schwarzen Mann aus der Brücke wie mit dem Schicksal, bis die Mutter sie weckte und von der Qual erlöste.

Er hatte seine Hand auf ihren Bauch gelegt in der Nacht, in der sie so unruhig schlief. Vielleicht hätte er sie wecken müssen. Vielleicht hätte er sie trösten können.

Aber was wusste er schon vom Krieg? Er war in einer deutschen Kleinstadt aufgewachsen. Seine Kindheit hatte er in einer Siedlung mit gestutzten Hecken, gemähten Rasen und sonntäglicher Stille verbracht. Streit gab es nur hinter verschlossenen Türen, und wenn der Nachbar kam, um sich den elektrischen Kantenschneider zu borgen, redete man über den schlechten Sommer und den Garten und die neuen Nachbarn. Seit Ende der sechziger Jahre lebten seine Eltern in ihrem Reihenhaus. Sein Vater war als junger Mann wie so viele nach Deutschland gekommen, hatte hier Arbeit als Autoelektriker gefunden, sich in eine deutsche Frau verliebt und sie kurz darauf geheiratet. Zwei seiner Brüder waren nach

Frankreich gegangen, einzig seine ältere Schwester lebt noch in Karlovac.

Als der Krieg in Anas Heimat ausbrach, war er vierzehn, aber er interessierte sich nicht besonders für diesen Krieg. Seine Freunde dachten, er könne ihnen erklären, warum der Krieg ausgebrochen sei und wer schuld sei, aber letztlich wusste er nicht mehr als sie. Manchmal wurde er gefragt, welcher Religion er angehöre, und er sagte, seine Familie sei katholisch, aber es erschien ihm nicht erwähnenswert, weil der Glaube für niemanden in seiner Familie eine Bedeutung hatte. Obwohl er eine Tante hatte, die während des Krieges in Karlovac geblieben war, einer Stadt, die unter starken Beschuss geraten war, sprachen sie zu Hause nur selten darüber.

Im Fernsehen sah er, wie Menschen in Sarajevo über die Straße rannten, wie Schüsse fielen, und er hatte sich gefragt, ob es echte Schüsse waren, weil sie sich so anders anhörten als im Film. Er sah, wie Menschen liegen blieben und andere sie in Autos schleppten und dann mit offenen Türen davonrasten. Er sah Rauchwolken aufsteigen und auf den Bergkuppen Geschützrohre, die sich drehten. Er sah weinende Kinder, die sich an die Röcke ihrer Mütter klammerten, und ausgemergelte Männer hinter Stacheldraht. Er sah Soldaten, die sich zuprosteten, und im nächsten Schnitt weinende Frauen. Er sah, wie eine alte Brücke in sich zusammenfiel und ein Priester geweihtes Wasser über einen Panzer tröpfelte. All diese Bilder sind ihm in Erinnerung geblieben, und doch war ihm anderes wichtiger.

Er hätte ihr das niemals sagen können. Er hätte ihr nicht sagen können, dass sie im Unterricht kein einziges Mal über diesen Krieg gesprochen haben. Und wenn Freunde seiner Eltern darüber klagten, dass sie wegen des Krieges nicht mehr nach Jugoslawien an die Adria fahren könnten, wo sie doch so viele schöne Jahre verbracht hätten und wo die Leute immer so nett seien, hörte er seine Mutter sagen: »Schlimm, schlimm ist das«, und es war nicht klar, was sie eigentlich meinte. Sein Vater sagte: »Die sind da alle verrückt geworden.« Wie hätte er Ana von dieser Gleichgültigkeit erzählen können?

Er wollte Ana zeigen, dass sie und das, was sie erlebt hatte, ihm nicht egal war. Er fing an, Bücher und Zeitungsartikel über den Krieg zu lesen, und ließ keine Gelegenheit aus, Ana in den Arm zu nehmen und festzuhalten.

Es gab fast keinen Tag, den er nicht mit Ana verbrachte. Meist schlief er bei ihr und ging dann von dort aus morgens in die Universität. Seine Freunde sah er nur noch selten. Er wollte, sooft es ging, in ihrer Nähe sein. Manchmal wartete er vor ihrem Seminarraum oder vor ihrer Haustür, wenn sie noch nicht zu Hause war. Dann ließ ihn manchmal einer der anderen Bewohner hinein, und er saß im Treppenhaus auf den Stufen vor ihrer Wohnungstür und war fasziniert von der Vorstellung, dass so viele Menschen an diesem Klingelschild vorbeigingen, ohne zu ahnen, welch wunderbare Frau sich hinter diesem Namen verbarg. Er war jedes Mal aufgeregt, wenn er auf die Klingel neben ihrem Namen drückte. Er mochte den Namen, weil er, wie ihr Vorname, fast ein Palindrom war, nur der letzte Buchstabe störte die Harmonie, dieses c, das wie ein tsch ausgesprochen wurde. Šimić. Der Name passte zu ihr, genau wie ihr Vorname. Beide Worte hatten etwas Ebenmäßiges.

Er konnte es jeden Tag aufs Neue kaum erwarten, sie zu sehen. Ihr ging es nicht anders. Manchmal machte sie ein Spiel daraus, ging an ihm vorbei, wenn er in der Universität auf sie wartete, tat, als kennte sie ihn nicht, drehte sich dann plötzlich um, schlang ihre Arme um seinen Hals und drückte ihre Lippen auf sein Ohr und sagte: »Da bist du ja endlich.«

Er hatte mal gelesen, dass drei bis fünf Herzschläge pro Minute das Glück vom Normalzustand trennen. Als ließe sich Glück so einfach nachweisen, Finger auf die Schlagader und zählen. Fünf Schläge mehr im Zustand des Glücks. Sie war anders. Es schien ihm, als machte ihr Herz fünf bis zehn Schläge weniger, als käme sie in seiner Nähe zur Ruhe. Anfangs machte er Witze darüber, sprach von seiner einschläfernden Ausstrahlung, bis er begriff, dass es das war, was ihr bisher kein anderer geben konnte und wonach sie sich so sehnte: das Gefühl, Ruhe zu finden. Sie nannte es Narkose. Manchmal wünschte sie sich das und legte ihren Kopf auf seine Brust, und er spürte, wie sie wegdämmerte, und genoss sein Glück.

Seine Freunde sagten, sie würden ihn kaum wiedererkennen, weil er so aus sich herausgetreten sei, wie eine Jacke, die man auf links trage. Und sie wollten die Frau kennenlernen, die das geschafft hatte. Er erzählte, dass sie Ana heiße. Ana mit einem n, und zur Erklärung sagte er, dass sie Serbin sei. »Serbin?«, fragten sie. »Ja«, sagte er und dachte daran, dass Ana ihm erzählt hatte, dass sie irgendwann angefangen habe, ihre Nationalität zu leugnen. Fragte jemand, woher sie komme, sagte sie, Slowenien, weil sie der Fragen überdrüssig war, sie wollte nicht über den Krieg reden, nicht über Karadžić, Mladić und all die anderen.

In ihrer vierten Woche saßen sie abends bei seinem besten Freund, der das Ende seiner Probezeit feiern wollte und dazu sechs Freunde eingeladen hatte. Er hatte den Küchentisch ins Wohnzimmer getragen, ein weißes Bettlaken darübergelegt, sämtliche Stühle, die er besaß, um den Tisch herumgestellt.

Anfangs sprachen sie über die Arbeit seines Freundes. Ana

blieb ein wenig außen vor, und er wusste nicht, ob sie sich wohlfühlte in dieser Runde. Er versuchte, sie in das Gespräch einzubinden, in dem er von ihrem Praktikum bei einem Institut für Meinungsforschung erzählte, das sie in den Semesterferien gemacht und nach zwei Wochen beendet hatte, weil sie nur damit beschäftigt war, Zeitungsartikel auszuwerten und Kaffee zu kochen. Was sie machen wolle, wenn sie fertig sei, fragte sein Freund. Und Ana sagte, dass sie es noch nicht wisse und dass sie wahrscheinlich erst mal nach Belgrad zurückmüsse.

Belgrad war das Stichwort. »Habt ihr die Fotos von Karadžić gesehen?«, fragte die Freundin seines Freundes, »ich hätte ja nicht geglaubt, dass sie ihn jemals kriegen. Wunderheiler – ich meine, zynischer geht es wohl nicht.«

Er sah, wie Ana für einen Moment ihre Augen schloss.

Jemand fragte, wie das sein könne, dass ein Mann wie Karadžić unbehelligt in Belgrad lebe, in öffentlichen Bussen unterwegs sei, Vorträge über alternative Medizin halte und eine Stammkneipe habe, in der er an manchen Abenden sogar Volksweisen auf einer Fiedel spiele. Ein falscher Name, eine Brille, ein langer weißer Bart und ein Zopf hatten als Tarnung offenbar ausgereicht. Auf den Fotos sah er aus wie ein Pope. »Die ganze Welt sucht ihn, und er verteilt Visitenkarten mit seiner Handynummer – das ist doch kaum zu glauben«, sagte sein Freund. »Er ist eben ein Held für die Serben«, sagte einer der anderen, »nach seiner Verhaftung gab es Proteste, da sind Menschen zu Hunderten auf die Straße gegangen, sogar Politiker.«

Natürlich hatte auch er die Nachrichten verfolgt und die Zeitungen gelesen. Und er hatte Ana ganz aufgeregt angerufen: Ob sie es schon gehört habe? »Ja«, hatte sie gesagt. »Hast du nicht auch in Neu-Belgrad gelebt?«, hatte er gefragt. »Ja«, hatte sie gesagt, »und mit mir eine halbe Million anderer.« Es war ein kurzes Gespräch gewesen. Er hatte den Eindruck, dass die Festnahme Karadžićs ihn mehr beschäftigte als sie. Er verstand nicht, warum sie am Telefon so gleichgültig gewirkt hatte, »Endlich!«, hätte sie sagen können, oder: »Gott sei Dank.« Aber auch abends, wenn sie neben ihm im Bett lag und im Fernsehen die Nachrichten liefen, sah sie hin, ohne ein weiteres Wort zu sagen, und er dachte, es sei besser, wenn er nicht weiter fragte, und drückte sie stattdessen ein wenig enger an sich.

»Mich würde interessieren«, sagte die Freundin seines Freundes, »was das für Menschen sind, die für einen Massenmörder auf die Straße gehen.« Dabei schaute sie Ana an. Er fragte, ob es noch Wein gebe und wo sein Freund den Wein herhabe, weil der wirklich gut sei. Aber es half nicht. »Bist du froh, dass sie ihn jetzt haben?«, fragte der Mann, der neben Ana saß. Sie stellte ihr Glas ab. Und ließ sich so viel Zeit für die Antwort, dass es still wurde am Tisch. »Ihr denkt«, sagte sie, »dass jetzt alles vorbei ist. Aber es ist nicht vorbei. Und auch, wenn sie den Letzten auf der Liste haben, wird es immer noch nicht vorbei sein.«

Auf dem Heimweg fragte er sie, was sie damit gemeint habe, aber sie sagte, es sei genug für heute.

Der dritte Zeuge berichtet, dass Višegrad nie so sauber gewesen sei wie in den Monaten des Krieges. Die Bewohner hätten sich um ihre Stadt gekümmert. Als die Reinigungsleute nicht mehr gekommen seien, hätten sie es selbst erledigt. Jeder habe vor seinem Haus und seinem Geschäft sauber gemacht, und gemeinsam hätten sie die öffentlichen Plätze, vor dem Postamt, den Banken und in den Parkanlagen gekehrt. Die Menschen wären richtig enthusiastisch gewesen, und schon nach kurzem sei die Stadt nicht mehr wiederzuerkennen gewesen. Jeden Tag zwischen neun und zehn Uhr sei gemeinsam sauber gemacht worden.

Der Mann, der davon berichtet, ein kleiner, dicker mit rundem Gesicht, sagt, dass es besonders in seiner Nachbarschaft sehr schmutzig gewesen sei, weil das Wasser, das aus dem Staudamm gelassen worden sei, viel Schlamm hinterlassen habe, und überall hätten Baumstämme und Äste herumgelegen. Aber sie hätten alles sauber bekommen.

Das sei auch das Verdienst von Zlatko Šimić. Er habe die Menschen dazu gebracht, etwas Sinnvolles zu tun, und habe das Säubern organisiert. Am ersten Tag seien Männer mit einem Auto durch die Stadt gefahren, auf dem ein Megaphon angebracht gewesen sei. Sie hätten die Menschen zusammengerufen, und dann habe Šimić ihnen die Idee der sauberen Stadt vermittelt. Die Menschen hätten ihm vertraut, schließlich sei er Professor gewesen. Sie hätten ihn gekannt und hätten sich gefreut, eine Aufgabe zu haben. Jeder habe das Ergebnis sehen können, und die Menschen hätten darüber geredet. Es habe auch viele Geschäfte gegeben, deren Schaufenster eingeschlagen gewesen seien, und all das Glas habe auf dem Bürgersteig gelegen. Diese Geschäfte hätten Muslimen gehört, und die meisten von ihnen seien nicht mehr da gewesen, sodass bei ihnen niemand sauber gemacht habe.

Der Zeuge ist ein Nachbar von Šimić gewesen. Er steht da, etwas verloren in seinem zu großen Anzug und mit seiner Krawatte. Er ist sichtlich bemüht, nichts Falsches zu sagen. Auf Fragen antwortet er jedes Mal mit einer kurzen Pause; manchmal sieht er Šimić an, bevor er anfängt zu reden.

Es ist an Mr Bloom, dem Ankläger, ihm Fragen zu stellen.

»Glauben Sie, dass die Muslime, die beim Saubermachen halfen, Angst hatten?«

Es ist für einige Momente still.

»Ich verstehe Sie nicht. Angst? Angst wovor?«

»Sie erzählten uns, dass viele der muslimischen Läden verlassen waren. Wir haben von anderen Zeugen gehört, dass jeder wusste, dass Muslime getötet wurden, dass für jeden zu sehen war, dass Häuser, die Muslimen gehörten, angezündet wurden. Würden Sie sagen, dass diejenigen Muslime, die noch in der Stadt waren, Angst gehabt haben könnten?«

Er sieht Šimić an und dann wieder Mr Bloom.

»Ja, bestimmt, ohne Zweifel. Wer gesehen hat, dass das Haus seines Nachbarn brennt oder wie jemand getötet oder vergewaltigt wird, der wird mit Sicherheit Angst gehabt haben. Ich meine, jeder hätte doch Angst in einer solchen Situation. Ich hätte auch Angst gehabt.«

»Sie haben uns eben erzählt, dass die Muslime gern mitgeholfen haben, die Stadt zu säubern.«

»Das sind verschiedene Dinge. Was man fühlt, wenn man vor seinem Haus sauber macht, oder die Angst, die man vor der Zukunft hat. Ich meine, das sind zwei unterschiedliche Dinge. Ob man vor seinem Haus putzt oder darüber nachdenkt, ob in der Nacht jemand kommen könnte, um einen umzubringen oder zu verschleppen.«

»Sie würden also sagen, dass Menschen, die Angst davor haben, in den Nächten umgebracht zu werden, sich um die Sauberkeit vor ihrem Haus sorgen?«

»Jeder hat es doch gern schön.«

Mr Bloom macht eine Pause, sieht sich im Saal um, als wollte er sichergehen, dass jeder diesen Satz vernommen hat.

»Eine Frage habe ich noch. Ist es richtig, dass Herr Šimić als ... nennen wir es mal Anführer dieser Putzkolonne ein rotes Band um den rechten Oberarm trug?«

»Soweit ich mich erinnere: Ja.«

»Können Sie dieses Band beschreiben?«

»Es war ein breites Band, eine Art rotes Tuch, das er sich um den Arm gebunden hat.«

»Glauben Sie, dass es Menschen gab, die diese Binde für ein Zeichen des Roten Kreuzes gehalten haben?«

»Ich glaube nicht. Es war ja kein Kreuz darauf.«

»Vielen Dank.«

Sie sagte, dass sie nicht verstehe, wie wenig er sich für seine Herkunft interessiere. »Deine Familie stammt aus Karlovac, du hast slawisches Blut in dir, du trägst einen slawischen Nachnamen, aber du sprichst die Sprache nicht und weißt nichts über dein Land. Warum leugnest du diesen Teil von dir?«

Er weiß nicht, wie Ana an jenem Tag darauf kam, vielleicht weil er damals nicht wusste, wer Ceca war, die bekannte serbische Sängerin, und sich erstaunt gezeigt hatte über die Musik, die sie hörte, Turbo-Folk, verpoppte Volksmusik, und auch darüber, dass sie offenbar jede Liedzeile mitsingen konnte, während sie in der Küche stand und das Geschirr spülte oder den Kleiderhaufen in ihrem Zimmer zusammenlegte. Es war ihm so fremd, als würde ein Mensch in ihrem Alter deutsche Schlager hören.

»Ich leugne diesen Teil nicht«, sagte er, »ich bin nie wirklich mit ihm in Berührung gekommen. Und es ist schwierig, wenn du die Sprache nicht sprichst.«

»Aber warum lernst du sie nicht einfach?«

Die Frage wurde ihm oft gestellt, und jedes Mal sagte er, ja, vielleicht solle er mal damit anfangen, aber er tat es nie, weil er sich davor scheute, eine neue Sprache zu lernen; schon in der Schule waren ihm Französisch und Englisch schwergefallen. Sein Vater hatte ihm von klein auf beigebracht, er müsse Deutsch lernen, sonst werde er es schwer haben in diesem Land, so wie er, der auch nach vierzig Jahren nur gebrochen Deutsch sprach.

Für seinen Vater war immer klar gewesen, dass seine Zukunft in Deutschland lag, sein Vater hatte nie mit dem Gedanken gespielt, irgendwann mal zurückzukehren. Es schien, als zöge ihn nichts in das Land, in dem er geboren worden ist und aus dem seine Familie stammte. Er konnte sich nicht erinnern, dass sein Vater jemals jugoslawische Musik gehört oder sich eine jugoslawische Zeitung gekauft hätte. In seiner Sprache hörte er ihn nur reden, wenn er mit seinen Geschwistern telefonierte.

»Für dich würde ich sie lernen«, sagte er.

»Wenn du sie nicht für dich lernen willst, brauchst du sie für mich auch nicht zu lernen. Ich möchte ja nur verstehen, warum das so ist bei dir.«

»Die Wahrheit ist wahrscheinlich, dass ich mich einfach nie für diesen Teil von mir interessiert habe.«

Ob es etwas ändern würde, wenn er ihre Sprache spräche, ob sie eine andere Vertrautheit miteinander hätten, eine andere Art des Umgangs?

Abends kochte Ana für ihn Sarma, Krautwickel. »Es ist das Lieblingsessen meines Vaters«, sagte sie.

Es war das erste Mal, dass er Ana in Küchenschürze sah. Auf dem Tisch lag ein aufgeschlagenes Heft, in das Ana ab und an blickte. Ihre Großmutter hatte darin Rezepte aufgeschrieben und es Anas Mutter zur Hochzeit vermacht. »Es war eines der wenigen Dinge, die meine Mutter mitgenommen hat, als wir Višegrad verlassen haben«, sagte Ana. Er blätterte durch die Seiten, als könnte er darin ihre Erinnerungen lesen.

Es wurde für ihn zu einem Gedankenspiel, mit dem er sich manchmal, wenn er Zerstreuung suchte, beschäftigte. Dann stellte er sich vor, er müsste innerhalb eines Tages die Stadt für immer verlassen, und fragte sich, was er wohl mitnähme. Die Dokumente, das war klar, Reisepass, Geburtsurkunde, Zeugnisse. Ein paar Kleider; die Auswahl zu treffen fiele ihm nicht schwer, weil ihm Kleider mehr oder weniger egal waren. Bei den Büchern wurde es schwierig. *Homo Faber, Stiller* – was noch? *Die Entdeckung des Himmels*, aber das Buch hatte achthundert Seiten und war in der gebundenen Ausgabe recht schwer. Was war mit dem Material für seine Dissertation? Das allein hätte schon einen Koffer gefüllt. Gab es irgendwelche Erinnerungsstücke? Außer einem kleinen Stein, den ihm Ana geschenkt hatte, ein Kiesel aus der Drina, fiel ihm nichts ein. Fotos vielleicht. Ein paar CDs. In Gedanken ging er dann seine CDs durch, seine Bücher und stellte Rangfolgen auf, die sich aber immer wieder veränderten, je länger er nachdachte. Und er fragte sich, ob es ihm schwerfiele, all die anderen Sachen zurückzulassen. Es war wohl wirklich so, dass man einen Teil seines Lebens verlor. Das Schlimmste aber war für ihn die Vorstellung, nicht zu wissen, was käme, und er glaubte, dass man solch eine Flucht nur überstehen könnte, wenn man nicht an das, was vorher war, und an das, was kommen würde, dachte. Aber das war unmöglich.

Ana stellte den großen Topf auf den Tisch und nahm sich die Schürze ab. »Die hohe Kunst ist es, ohne Bindfaden auszukommen«, sagte sie. Sie schaute ihm zu, wie er seine Gabel zum Mund führte. Er hatte den Geschmack auf der Zunge, das leicht Säuerliche, dazu das mit Rosinen und Reis durchsetzte Hackfleisch. Es war der Geschmack seiner Kindheitsbesuche.

Seine Tante hatte jedes Mal, wenn sie kamen, Sarma gekocht, weil auch sein Vater dieses Essen liebte. Als Kind hatte er lustlos in der Füllung herumgestochert. Den säuerlichen Kohlgeschmack mochte er immer noch nicht, was er Ana nicht sagte.

Er hört nicht mehr, was im Gerichtssaal gesprochen wird, stattdessen sieht er Ana und sich am Tisch sitzen, wie sie auf den Kohlwickel anstoßen, und denkt, dass er vielleicht doch zu ihrem Leben gehört. Vielleicht betrachtet Ana ihn doch als Teil ihrer Familie oder kann es sich wenigstens vorstellen.

Nach diesem Rezept hatte ihre Großmutter für ihren Großvater gekocht, ihre Mutter für ihren Vater und Ana für ihn. War das ein Zeichen? Sie sagte, dass sie ihre Familie vermisse, und erzählte, wie sie alle zusammen um den Tisch herum gesessen hätten, ihr Vater, ihre Mutter, die Großeltern, ihre Cousins.

Sie verstand die Menschen in Berlin nicht, nie hatte sie das Gefühl, die Menschen in ihrem Alter vermissten ihre Familie, Eltern, Geschwister, Großeltern. Jeder zog es vor, weit weg zu sein. Wo sie herkam, war das anders. Die Großeltern lebten im Haus nebenan, ihr Onkel und ihre Tante lebten nicht weit entfernt, mit ihren Cousins war sie zur Schule gegangen. Sie fragte sich manchmal, warum sich die Menschen hier so an die Einsamkeit gewöhnt hatten.

Von dem Abend an hatte er den Wunsch, sie im Kreise ihrer Familie zu erleben. Er hatte das Gefühl, sie könnte dort eine andere sein, eine glücklichere, wenn sie umgeben war von Menschen, die wussten, wer sie war, und ihre Sprache sprachen. Er fragte sie, wann sie das letzte Mal zu Hause gewesen sei. Und sie sagte: Am Tag, als sie die Stadt verlassen hätten. »Warum bist du nie wieder zurückgekehrt?« – »Weil ich meine Erinnerungen behalten will«, sagte sie, »die schönen Erinnerungen an meine Kindheit.«

Sie saßen am Tisch in ihrer Küche, die leeren Teller vor sich. Er dachte an das Foto, das bei seinen Eltern im Schlafzimmer auf der Fensterbank stand, ein kleines, gerahmtes braunstichiges Foto, das seine Familie zeigte, wie sie alle zusammen um einen Tisch herum im Garten seiner Großeltern saßen. Damals lebten sie noch, und auch die Brüder waren angereist mit ihren Familien. Sie sitzen auf Holzschemeln, auf dem Tisch liegt eine weiße Plastikdecke, Teller stehen auf dem Tisch, Gläser und Flaschen, sie alle schauen in die Kamera. Er selbst sitzt auf dem einen Bein seines Großvaters, auf dem anderen ein Mädchen; er vermutet, es ist eine seiner Cousinen. Dieses Foto ist ihm so merkwürdig vertraut und fremd zugleich. Er sitzt inmitten seiner Familie und kann nicht mal allen Gesichtern einen Namen zuordnen.

Er hat dich viele Male auf seinen Knien hin und her gewiegt, dich in den Schlaf gesungen, seine liebende Brust als dein Kissen. Manch eine Geschichte hat er dir erzählt und dir gesagt, du sollst dir die hübschen Erzählungen merken und von ihnen erzählen, wenn er tot und fort ist.

Ana, warum hast du mir nicht erzählt, was dich bedrückt? Das habe ich mich in den vergangenen Wochen so oft gefragt, und auch jetzt, allein in meinem Hotelzimmer, an einem Ort, wo du hättest mit mir sein können, frage ich mich das. Du hättest mir alles erzählen können. Wir saßen in deiner Küche und warteten, dass der Tee in unseren Tassen durchzog. Ich dachte, du bräuchtest einfach Zeit. Aber der Tee war längst fertig, und wir saßen immer noch da.

Es war der Morgen nach dieser Nacht im Park, die auch du nicht vergessen haben kannst. In den vergangenen zwei Wochen habe ich manches Mal im Bett gelegen und mich gefragt, ob du auch gerade im Bett liegst und in Gedanken nach Bildern von uns suchst, nach Erinnerungen. Ich frage mich, ob wir die gleichen Bilder sehen oder ob du andere siehst oder die gleichen in anderer Perspektive mit anderer Färbung.

Ich stelle mir vor, du zu sein. Wie du an jenem Morgen in deiner Küche sitzt, mit dem Rücken zum Fenster, weil du dort vom ersten Tag an gesessen hast, es war unsere Sitzordnung an deinem kleinen Tisch. Ich hatte dir gegenüber Platz genommen, mit Blick auf das Fenster und die graue Fassade des Hinterhauses. Ich hatte uns Tee gekocht, die Tassen auf den Tisch gestellt und dir nach einer Weile den Teebeutel aus deiner Tasse gezogen, ihn um den Löffel gewickelt und ausgewrungen, worüber du dich lustig gemacht hast, so wie du dich auch über die Art lustig gemacht hast, wie ich Joghurtbecher auskratze. Du dachtest, es sei etwas Deutsches, die Folge einer Kriegsentbehrung, die über die Generationen vererbt wurde, von den Großeltern auf die Eltern auf die Kinder und zwangsläufig dann auch auf meine Kinder, weil ich es ihnen schließlich vormachen würde. »Deine Kinder«, sagtest du, obwohl es noch kein Thema war zwischen uns, weil wir so weit längst nicht waren, spürte ich einen kleinen Stich, weil du nicht »unsere Kinder« gesagt hattest.

Als wir an dem Morgen am Tisch saßen, wusstest du, dass ich darauf wartete, von dir zu erfahren, was war. Du sahst es mir an. Du spürtest es daran, dass ich nichts sagte. Es war schwer, mir vorzustellen, welche Bilder dir vom Tag zuvor geblieben waren.

Meine sind mir gegenwärtig. Wir zwei auf der Wiese im

Lustgarten. Blauer Himmel. Später wir nebeneinander am Ufer der Spree. Du einen Fuß auf der unteren Stange des Geländers. Ausflugsboote, die an uns vorbeituckerten. Du hattest mir von Belgrad erzählt, von der Festung, wo du so gern die Sommerabende verbrachtest, weil man von dort oben einen Blick auf das Mündungsdelta der Save in die Donau hat. »Schau mal da, der kleine Junge«, sagtest du, »der mit den blonden Haaren und der Mütze«, und du zeigtest ihn mir. Der kleine Junge saß zwischen seinen Eltern auf der hintersten Bank eines Ausflugsbootes. Der Vater ein großer, massiger Mann, die Mutter hielt in der einen Hand einen Becher, in der anderen ein angebissenes Brot, das sie dem Jungen hinhielt. Du winktest und riefst, bis der Junge zu dir hersah und dich immer noch ansah, als das Boot längst vorbeigefahren war und er dich kaum noch sehen konnte.

Es war, als füllte mich jemand mit Helium, ich musste mich am Geländer festhalten, um nicht davonzufliegen. Von all den Menschen auf den Schiffen hattest du dir den kleinen Jungen ausgesucht. Und ich frage mich, ob du wusstest, dass ich dieser kleine Junge war. Dass es meine Mutter war, die ihm das Salamibrot hielt, und mein Vater, der wegschaute, als ginge ihn das alles nichts an. Ich sagte: »Ich liebe dich.«

Und du drehtest dich um und küsstest mich. »*Moj zlatko*«, sagtest du.

Ich war für den Rest des Tages so gelöst, so außer mir, von aller Last befreit und auf das ungetrübte Glück eines Kindes zurückgeworfen. Vielleicht lag darin der Grund für mein Versteckspiel abends im Park. Ich mag es, wenn sich der Abend über die Natur legt und von den Bäumen nur Schatten bleiben; es hat etwas Aufregendes, etwas Unheimliches, nachts im Wald. Das ist für mich seit jeher die Gegenwelt zum heimischen Wohnzimmer. Als wir durch den dunklen Park gingen und ich dich vom Weg ab führte und wir unter den Bäumen hindurchspazierten, deren Äste und Blätter sich über uns legten und den Himmel seltsam entstellt aussehen ließen, überkam mich die Aufregung, die ich als Schüler während der Nachtwanderungen verspürt hatte, wenn wir spätabends das Schullandheim mit Taschenlampen und Schauergeschichten verließen und durch den Wald stolperten, die Mutigen einzeln vorweg, die weniger Mutigen eng beieinander. Es gehörte einfach dazu, dass einer sich hinter einem Baum versteckte und schreiend hervorsprang.

Ich hatte mir nichts dabei gedacht, Ana, als ich mich wegschlich, mich hinter einem Baum versteckte und beobachtete, wie du stehen bliebst, ich duckte mich, kam von hinten an dich heran und sprang mit einem Satz auf dich zu und schlang meine Arme um dich. Es war schon damals so, dass die Mädchen schrien vor Schreck, aber damals beruhigten sie sich schnell wieder, sagten, dass es nicht lustig sei, und hatten den Schrecken kurz darauf vergessen.

Du aber schriest und zittertest am ganzen Körper, und auch nach einer ganzen Weile hörte es nicht auf. Dann fingst du an zu weinen, und ich versuchte, dich in den Arm zu nehmen, wogegen du dich anfangs wehrtest. Aber irgendwann fielst du mir in die Arme, und ich hielt dich und fragte mich, wie dein zarter Körper auf einmal so schwer sein konnte. In der Nacht brannte das Licht im Flur, und ich wusste, dass du nicht vergessen hattest, es auszuschalten. Du hast das Licht angelassen, und ich habe es brennen lassen, als du schon längst eingeschlafen warst. Ich lag lange wach in jener Nacht und fragte mich, was du wohl erlebt hast damals in Višegrad.

Aber auch am Morgen in der Küche wolltest du nicht darüber sprechen. Heute denke ich, du konntest es vielleicht nicht. Stattdessen spürte ich irgendwann, als die Stille schon viel zu lang andauerte, deine Zehen, du hattest deine mädchenhaften rosafarbenen Filzpantoffeln abgestreift, hattest dein Bein ausgestreckt und ließest deine Zehen an meinem Bein hochwandern. Du rutschtest immer weiter von deinem Stuhl und deine Zehen kamen meinem Bauch immer näher und krallten sich dann in meinem Oberschenkel fest.

Du brachtest mich zum Lachen, weil du mir zum ersten Mal deine Zehen zeigtest, diese kleinen, geknautschten Zehen, die du nicht mochtest. Du schämtest dich sogar für sie. Wenn du aus dem Bad kamst und mit nackten Füßen über die Dielen liefst und merktest, dass ich dir auf die Füße starrte, kamst du immer mit schnellen Schritten ins Bett und vergrubst als Erstes deine Füße unter der Decke. Und wenn ich dann mit dem Gesicht unter die Decke tauchte und mich zu deinen Füßen vortastete, um sie zu küssen, dann wehrtest du mich ab, indem du einen Fuß über den anderen drücktest und sagtest, ich solle lieber alles andere küssen als diese kleinen, hässlichen Zehen.

Er sitzt im Wintergarten der Pension am Tisch und schaut hinaus. Das Meer ist unruhig, bis weit draußen sieht er die Schaumkronen. Auf der Promenade kämpfen ein paar Jogger gegen die Böen, von hier oben scheint es, als würden sie auf der Stelle laufen. Nichts sonst deutet auf den Wind hin, kein Papier, das durch die Straßen getrieben wird, kein Knacken im Gebälk, kein Pfeifen.

Die Welt draußen erscheint so unwirklich. Er sieht Ana draußen am Meer, in einer Windjacke, die er nicht kennt, die Kapuze über den Kopf gezogen, sie steht mit dem Rücken zum Meer und winkt ihm. Warum sitzt sie nicht neben ihm? Der Tisch ist für zwei gedeckt. Ihm gegenüber steht ein leerer Teller auf dem Tisch, daneben eine gefaltete Serviette, ein Messer, eine Gabel, eine Tasse, aber Ana ist draußen.

Vielleicht ist sie einfach früh aufgewacht, und da er noch schlief, ist sie ans Fenster getreten und hat über das Meer geblickt. Sie hat sich angezogen, die Tür hinter sich zugezogen und ist am Meer entlanggelaufen, und als sie irgendwann zurückkam und hinaufsah, saß er da, hinter der Scheibe im Wintergarten der Pension.

In seiner Vorstellung kommt sie hinaufgelaufen, zieht sich vor seinem Tisch die Kapuze vom Kopf, ihre Haare sind zerzaust, sie beugt sich zu ihm. Ihre Lippen und Wangen sind so kalt. Er sieht ihr dabei zu, wie sie sich den Tee eingießt und das Brötchen schmiert. Er fragt, wie sie geschlafen habe, und erinnert sich, wie sie Körper an Körper eingeschlafen sind.

Als er vor drei Tagen spätabends ankam, gab die Frau an der Rezeption ihm ein Doppelzimmer zum Preis eines Einzelzimmers, was zur Folge hatte, dass alles doppelt war im Zimmer, zwei Decken, zwei Kissen, zwei große, zwei kleine Handtücher, zwei Seifen. Er fragte sich, welche Seite des Bettes sich Ana wohl ausgesucht hätte, nach welchem Handtuch sie gegriffen hätte, wäre sie zuerst ins Bad gegangen, welche der beiden kleinen Seifen sie ausgepackt hätte. Morgens, wenn er aufwacht, liegt er jedes Mal mit dem Kopf auf ihrem Kissen.

Sie lagen im Bett, als er sie fragte. Er lag neben ihr auf dem Rücken und richtete seine Fragen an die Zimmerdecke. Er fragte sie, nachdem sie die Lampe auf ihrem Nachttisch ausgemacht hatte. Mit leiser Stimme fragte er, warum sie damals Višegrad verlassen hätten. Und er war überrascht, als er ihre Stimme hörte, die so anders klang, leise und verletzlich.

»Mein Vater wollte, dass wir gehen«, sagte sie, »er wollte nicht, dass wir bleiben. Er schickte uns nach Belgrad zu seiner Schwester.«

»Warum ist er nicht mitgegangen?« Er hörte, wie Ana atmete. Er legte seine Hand auf ihren Bauch.

»Er wollte nicht weg. Er wollte unser Haus nicht verlassen.«

Er spürte, wie ihm die Kraft seiner Stimme entglitt, er musste sich anstrengen, um seiner Stimme einen Ton zu geben. »Ana«, fragte er und machte eine Pause. »Ana?« Er merkte, wie ihr gleichmäßiges Atmen für einen Moment aussetzte, ihre Bauchdecke hob sich nicht; er merkte es, weil auch er in diesem Moment die Luft anhielt.

»Was ist damals in Višegrad passiert?«

Er erkannte seine Stimme nicht wieder. Es war, als hörte er die Aufnahme der eigenen Stimme, was jedes Mal ein seltsames Gefühl hinterließ, weil er keine Beziehung zu dieser Stimme fand. Er spürte, wie sich ihre Bauchdecke wieder hob und dann senkte und ihren Rhythmus wiederfand.

»Die Stadt wurde beschossen«, sagte sie, und ihre Stimme war wieder klar, klarer als zuvor zumindest. »Es war Krieg, viele Menschen sind geflohen.«

Und er sagte: »Du bist der erste Mensch in meinem Alter, den ich kenne, der einen Krieg erlebt hat, der vor einem Krieg geflohen ist. Flucht betraf bei uns immer alte Menschen.«

Sie richtete sich auf, lehnte sich mit dem Rücken an die Wand und nahm seine Hand von ihrem Bauch.

»Manchmal frage ich mich, was wir ohne diesen Krieg wären, ob irgendein Mensch außerhalb überhaupt wüsste, wo Bosnien liegt, wenn es nicht Gavrilo Princip und den Krieg gegeben hätte. Manchmal habe ich das Gefühl, Serben, Kroaten, Bosniaken, alle werden nur über den Krieg definiert. Wer hat ihn wo erlebt? Wer hat was getan? Wer ist schuld? Dort, wo ich geboren wurde, hätte ich genauso gut als Bosniakin zur Welt kommen können. Ich hätte dieselbe Frau sein können, und doch hättest du mich anders gesehen – als Opfer. Als Serbin sehen mich alle als potenzielle Täterin, ohne etwas über mein Leben zu wissen. Dabei vergessen sie, dass es unter den Tätern auch Opfer gibt und Opfer zu Tätern werden, wenn sich ihnen die Möglichkeit bietet.«

Sie hielt kurz inne.

»Wusstest du, dass ich nach Berlin gekommen bin, weil ich ein Stipendium für die Nachkommen von NS-Opfern aus dem Zweiten Weltkrieg bekommen habe? Meine Großmutter war in Jasenovac, dem größten Vernichtungslager auf dem

Balkan, und sie ist von dort aus nach Leipzig deportiert worden, wo sie Zwangsarbeiterin in einem Hotel war. Natürlich habe ich daran gedacht, als ich nach Deutschland kam. Aber ich käme nicht auf die Idee, mich mit der Geschichte der Germanen zu befassen, weil ich mehr über deine Geschichte erfahren möchte, in der Hoffnung, dich zu verstehen. Offenbar aber kann man nicht über Serbien reden, ohne das Amselfeld zu erwähnen. Das ist mehr als sechshundert Jahre her. Was haben wir mit den Kriegen zu tun? Ich war elf, als meine Stadt beschossen wurde. Du warst nicht mal geboren, als die Nazis Millionen von Menschen umgebracht haben. Vielleicht war dein Großvater einer von ihnen, ich weiß es nicht, vielleicht hat er auch Juden bei sich versteckt, keine Ahnung, aber es hat doch nichts mit dir zu tun.«

Er war erstaunt über die Wendung, die das Ganze genommen hatte. Er wollte wissen, was sie erlebt hatte, damals in dieser Stadt, in der sie aufgewachsen war und die sie dann so plötzlich verlassen musste. Er wollte wissen, was sie durchgemacht hatte, weil er spürte, dass es sie bis heute nicht losließ. Aber dann hatte sie dem Ganzen eine politische Dimension gegeben, die in seinen Augen nicht gerechtfertigt war, nicht in dieser Situation, im Bett, in dem es nur sie und ihn gab. Vor allem aber nicht vor dem Hintergrund, dass der Auslöser seiner Fragen die Sorge war, die er sich um sie machte. Dass sie so vehement wurde, ärgerte ihn.

»Jetzt machst du es dir arg einfach«, sagte er. »Natürlich würde das deine Wahrnehmung beeinflussen, wenn du wüsstest, dass mein Großvater ein Nazi war. Deine Großmutter saß im KZ, und du willst mir sagen, dass es dir völlig egal wäre, mit dem Enkel eines Nazis zusammen zu sein?«

»Schuld ist doch nicht vererbbar! Du kannst doch ein

wunderbarer Mensch sein, auch wenn dein Vater jemanden umgebracht hat. Vielleicht ja auch gerade deswegen, weil du alles tust, um anders zu sein. Meine Großmutter hat mit mir nie darüber gesprochen, was sie im Krieg erlebt hat. Ich habe es von meiner Mutter erfahren. Stell dir vor, ich hätte es nie erfahren. Meiner Großmutter war es anscheinend nicht wichtig, dass ich es erfahre, sonst hätte sie mir davon erzählt. Selbst als ich in der Schule anfing, Deutsch zu lernen, hat sie nichts gesagt. Findest du, es wäre meine Pflicht gewesen, sie zu fragen? Sie dazu zu drängen, etwas zu erzählen, was sie nicht erzählen wollte? Was ist, wenn jemand über eine bestimmte Vergangenheit nichts weiß, nichts wissen will oder nicht will, dass andere von ihr wissen? Hätte seine Entwicklung oder die seiner Mitmenschen andere Wege genommen? Wären er und sie nicht vielleicht einfach viel unbelasteter und freier im Umgang miteinander? Manchmal glaube ich das.«

Er verzichtete darauf, ihr zu entgegnen, dass die Geschichte der Menschheit eine der Kausalität sei. Eines folgte auf das andere. Man konnte nicht einfach ein Kapitel dieser Geschichte entfernen. Kein Krieg kommt aus dem Nichts. Es gibt immer eine Vorgeschichte, in der eine Atmosphäre geschaffen wird, eine Stimmung, in der bestimmte Denk- und Verhaltensweisen mehrheitsfähig werden. Solche Phasen, in denen Kriege ausbrechen, sind nur historisch zu verstehen. Aber das war ein Gespräch, das er mit Ana nicht führen wollte. Er fand den Gedanken absurd, dass dieser Krieg zwischen sie geraten könnte. Aber dann musste er daran denken, dass es auch deutsche Bomben gewesen waren, die auf Belgrad fielen. Und er wusste nicht, ob es gerechtfertigt war, Serbien zu bombardieren, oder nicht. Letztlich ging es bei dem Nato-Angriff auf Serbien um

Schuld. Um die historische Schuld der Deutschen und ihr schlechtes Gewissen. Der deutsche Außenminister sagte, er habe gelernt: Nie wieder Auschwitz. In der Stadt, in der die Bomben einschlugen, lebten Ana, ihre Familie, ihre Freunde. Was hatten sie mit Auschwitz zu tun?

Das Gespräch mit Ana ließ ihn nicht los. Dass sie so emotional geworden war und ungerecht, wie er fand, beschäftigte ihn noch Tage danach. Als er mittags mit seinem Professor, der sich mit der Geschichte des Balkans auskannte, in der Mensa saß, fragte er ihn, ob es so wie eine deutsche auch eine serbische Schuld gebe. Der Professor hatte ihn kurz angesehen, seine Gabel, auf die er gerade ein Stück Fleisch gespießt hatte, beiseitegelegt und ihn gefragt, ob er schon mal vom SANU-Memorandum gehört habe.

»Wissen Sie«, sagte er, »es war die serbische Akademie der Wissenschaften und Künste, die den ideologischen Entwurf für das Großserbien lieferte.«

Es war das erste Mal, dass er von diesem Memorandum hörte.

»Wie würden Sie das bezeichnen«, fuhr der Professor fort, »wenn eine Gruppe von Wissenschaftlern ein Papier verfasst, in dem ein Ende der Diskriminierung des serbischen Volkes gefordert, in dem vom Genozid an den Serben durch die Albaner im Kosovo gesprochen und die nationale und kulturelle Integrität des serbischen Volkes propagiert wird, und zwar unabhängig davon, in welcher Region oder Republik sie leben? Dieses Papier wurde fünf Jahre vor Kriegsausbruch in der Öffentlichkeit diskutiert und anschließend zum politischen Programm einer Regierung. Würden Sie sagen, es handle sich um Vorsatz? Oder um Affekt? Ich sage Ihnen, der Mord an den Muslimen war geplant. Und was das Volk angeht, können

Sie meinetwegen auch von willigen Vollstreckern sprechen. Haben Sie mal Bilder gesehen, auf denen die ersten Panzer in Richtung Kroatien aufbrachen? Die Menschen standen entlang der Autobahn und haben gewunken und den Soldaten Blumen zugeworfen.«

Er wusste nicht, was er sagen sollte. Warum hatte er nach der serbischen Schuld gefragt? Er hatte dem Professor nicht von Ana erzählt. Nach dem Gespräch wurde ihm klar, wie subjektiv die Frage der Schuld ist. Wie anders wären die Ausführungen des Professors ausgefallen, hätte er ihm erzählt, dass er sich in eine Frau verliebt habe, die Serbin sei, und hätte er gefragt, ob sie deswegen schuldig sei. Er hatte Ana als Objekt ihrer Nationalität behandelt. Dafür schämte er sich. Ist es nicht letztlich so, dass Schuld ein krankhaftes Gefühl ist, psychogen, eine Einbildung, und dass sich mit Vergangenem zu belasten krankhaft ist und der gesunde Mensch in der Gegenwart aufgeht?

»Was macht man mit einem Meer, in dem man nicht baden kann?«, wollte Ana wissen.

An diesen Satz muss er denken, als er am Strand von Scheveningen steht. Nach dem Frühstück hat er die Pension verlassen, er wollte ans Meer, den Wind spüren und die Brandung hören. Vor allem aber raus aus dem Wintergarten. Es ist kalt, wie damals, Anfang April, als Ana und er an der Ostsee waren. Die meisten Buden und Strandlokale sind mit Brettern verschlagen. Im Sand tollen ein paar Hunde; ihre Herrchen stehen abseits, jeder für sich, die Kapuzen tief in die Gesichter gezogen.

Kaum war er aus der Pension getreten, schlug ihm ein Wind entgegen, der einem zeitweise den Atem nahm. Er ist ein Stück die Promenade entlanggegangen und dann an einer Stelle stehen geblieben, von der aus er einen freien Blick über das Meer hat, jenseits der Bretterbuden.

Er erinnert sich, dass er sich auch damals an der Ostsee fragte, ob das Wasser mit der Zeit immer weiter durch alle Meere floss. Er fragte sich, ob er dem Wasser dieser Wellen, die sich gerade am Strand überschlugen, irgendwann einmal wiederbegegnen würde, auf Reisen, an den Küsten anderer Länder. Ihm fiel ein, wie er als Kind mal einen Geldschein mit einem roten Punkt markiert hatte, in der Hoffnung, ihn irgendwann mal wieder in den Händen zu halten. Konnte es sein, dass dieses Wasser, auf das er blickte, zuvor an der Adria gewesen war?

Damals an der Ostesee hatte er seine Schuhe ausgezogen, seine Strümpfe, er hatte sich die Jeans bis zu den Knien hochgekrempelt. Die Kälte hatte augenblicklich nach seinen Füßen gegriffen, trotzdem hatte er versucht, ruhig weiterzuatmen. Er machte einen Schritt ins Wasser, dann noch einen und stand am Ende mit beiden Füßen knöcheltief darin und schloss die Augen. Durch seine Halsschlagader pulsierte das Blut, er musste sich zusammennehmen, um nicht nach Luft zu japsen. Er spürte, wie die Kälte seine Beine hochzog und dann unter die Jeans kroch. Mit den Zehen krallte er sich in den Sand und sank mit jeder Welle tiefer ein. Er dachte an die Adria, diese wunderbar warme Adria, die in sanften Wogen seine Beine umspülte. Er hörte das Geschrei von Kindern, die weit entfernt um eine Luftmatratze kämpften, das Tuckern eines Fischerboots, das Rufen einer Frau, eine ihm vertraute Stimme. Hinterher lachte sie, als er versuchte, seine Füße zu wärmen und sie erst mit den Händen rieb und dann zwischen ihre Beine schob, was nicht so einfach war, weil sie ihre Schenkel mit aller Kraft zusammenpresste. Er war jauchzend aus dem Meer gelaufen, war ein paarmal um sie herumgerannt und hatte sich dann in den Sand fallen lassen. »Wer sagt denn, dass man in dem Meer nicht baden kann«, sagte er.

Als Kind war er das letzte Mal an der Adria gewesen, vor mehr als zwanzig Jahren. Er hat kaum Erinnerungen an den Ort, an dem er mit seinen Eltern gewesen war, an ihre Unterkunft. Das einzige Bild, das er vor Augen hat, ist das eines alten Farbfotos: ein steiniger Strand, sein Großvater auf einem Klappstuhl, seine Mutter auf dem Handtuch und er nackt mit einem Kescher in der Hand, hinter ihm das Meer, tiefblau.

Er wusste, dass Ana mit ihren Eltern früher jeden Sommer an der Adria verbracht hatte, in einem Ort namens Lumbarda. Seit sie es ihm erzählt hatte, wünschte er sich, dass sie zusammen dorthin fuhren. »Lass uns hinfahren«, hatte er gesagt, »und du zeigst mir, wo du deine Ferien verbracht hast.« – »Vielleicht machen wir das eines Tages«, hatte sie geantwortet. Aber sie kamen nicht mehr darauf zurück.

Jetzt, wo er am Strand steht und auf das Meer blickt, das zum ersten Mal, seit er in Den Haag ist, Schaumkronen trägt, denkt er wieder daran. Vielleicht sollte er sie noch mal fragen. Der nächste Sommer würde kommen, und vielleicht täte es ihr gut, vielleicht täte es ihnen beiden gut, an einen unbeschwerten Ort ihrer Kindheit zurückzukehren, einen Ort, der unbelastet sein musste, an dem sie ihre Kinderferien verbracht hatte. Nach allem, was in den vergangenen Wochen war, wäre er gern dort mit ihr.

Lumbarda, so stellte er sich vor, war für sie der Ort aus einer anderen Zeit, als die Zukunft noch unbeschwert vor ihr lag, als es noch keine Vorstellung von Krieg, von Schuld und Verbrechen gab. Von dieser Bucht mit den vorgelagerten kleinen Inseln, von der er ein Foto in einem Reiseführer gefunden hatte, von dieser Bucht, in der das Meer so still lag, als sei es eine blaue Masse, die sich von keinem Wind und keiner Strömung aus der Ruhe bringen ließ, konnte sie nur schöne Erinnerungen haben. Aber war es überhaupt möglich, diese Erinnerungen losgelöst von allem, was danach kam, zu bewahren? Es ist das Verhängnisvolle am Erinnern, dass einzelne Ereignisse sich wie Schatten über alles legen und die Unbeschwertheit verdrängen können.

In Lumbarda hatte sich Ana zum ersten Mal verliebt, sie war zehn und der Junge eher schon ein Mann. Er war Schauspieler aus Sarajevo. Sie erzählte ihm davon, als er mit ihr Flaschendrehen spielte. Sie saßen sich auf dem Dielenboden ihres Zimmers gegenüber, zwischen ihnen eine leere Rotweinflasche. Er musste mehrmals drehen, bis der Hals in ihre Richtung zeigte. Sie konnte sich zwischen Tat und Wahrheit entscheiden und wählte Wahrheit, und er fragte sie nach ihrer ersten Liebe.

»Macbeth«, sagte sie.

Der junge Mann hatte auf einem Felsen in einer kleinen Bucht gesessen und Macbeth rezitiert. Sie hatte ihn dabei beobachtet, wie er seine Stimme gegen das Meer erhob und hin und wieder, wenn er nicht weiterwusste, in das Buch sah, das er in der Hand hielt. Mit tiefer Stimme und ausladender Handbewegung machte sie ihn nach: »Wer kann schon klug, bestürzt, maßvoll und wütend, loyal und unparteiisch sein zugleich? Kein Mensch: Die Raschheit meiner wilden Liebe lief dem Zögerer Verstand davon.«

Dann lachte sie, weil es im Nachhinein so offensichtlich war, dass sie sich in den ersten Mann verliebt hatte, der Shakespeare rezitieren konnte. Hatte ihr Vater ihr doch von klein auf Shakespeare vorgelesen. »Shakespeare war für meinen Vater das Leben«, sagte sie.

Er wollte wissen, wie es ausgegangen sei mit ihrer ersten Liebe, und sie sagte, tragisch, und erzählte ihm, durchaus amüsiert, wie ihr Vater, nachdem er bemerkt hatte, dass dieser Schauspieler seine Tochter beeindruckte, zu ihm hinging und ihm sagte, er solle aufhören, dem Mädchen etwas vorzuspielen. Und als ihr Macbeth ihn fragte, wer er sei, antwortete er: »Titus Andronicus.«

Für sie war es eine Anekdote, eine Verrücktheit ihres Vaters, die seine Fürsorge beschrieb und der sie offenbar keine tiefere Bedeutung zumaß. Auch er empfand sie als burleske Szene eines eigenwilligen Vaters. Erst rückblickend kam er in Versuchung, in dieser Geschichte die erste Offenbarung eines abgründigen Charakters zu sehen. Ein Mann, der sich Andronicus nannte – wäre das nicht von Bedeutung für seine Ankläger? Wissen Sie, dieser Mann, der hier vor ihnen steht, gab sich den Namen des brutalsten Rächers unter all denen, die Shakespeare schuf. Könnte das nicht ein Anzeichen dafür sein, dass das Böse schon lange vor seiner Tat in ihm schlummerte und nur auf den Moment wartete, an dem die Regeln der Zivilisation außer Kraft gesetzt würden, um sich in der Anarchie des Krieges zu entfalten?

Nachdem sie ihm von der Geschichte erzählt hatte, las er diese höchst jammervolle römische Tragödie: vierzehn Morde, und am Ende lässt Andronicus des Kaisers Gattin ihre eigenen Söhne verspeisen. »Ich bin Titus Andronicus«, war das nicht der Versuch, mehr sein zu wollen als nur Zuschauer? War das nicht die ausgesprochene Sehnsucht danach, jemand zu sein, der in der Lage war, eigene Tragödien zu schaffen, der die Kraft hatte, sich nicht mehr selbst zugrunde zu richten, sondern andere? Musste sich Ana nicht solche Gedanken machen?

Du hast mir von den Sonntagen erzählt, an denen ihr zu zweit, du und dein Vater, am Ufer der Drina entlanggewandert seid. Du hast mir erzählt, dass du immer hinter ihm gelaufen bist und versucht hast, seine Schritte nachzuahmen, auf dieselben Steine und Grasbüschel zu treten, und dafür immer viel zu große Bewegungen machen musstest. Du hast dir gemerkt, wie sein Rucksack auf und ab wippte und das Besteck darin leise schepperte. Wie du beim Angeln neben ihm saßest und auf jede Bewegung des Schwimmers geachtet hast. Und wie aufgeregt du warst, wenn er anfing, hektisch zu tanzen und unterzutauchen, und gespannt beobachtet hast, mit welcher Ruhe dein Vater den Fisch tanzen ließ und ihn dabei immer ein Stückchen näher zu sich heranzog. Du wartetest auf den Moment, dass dieser Fisch endlich aus dem Wasser kam und zappelnd durch die Luft flog und mit einem Platschen auf die Steine schlug. Dann drückte er ihn auf den Boden, schob die Finger zwischen die Kiemen, bis die Flosse aufhörte zu schlagen. Du hast es versucht, ihm zuliebe, aber du konntest es nicht, du konntest den Fisch nicht töten. Und obwohl du wusstest, dass ein Fisch, der gegessen werden soll, auch getötet werden muss, blieb dieses dumpfe Gefühl zurück, dass im Vater etwas Fremdes war, dass er sich für einen Moment in einen anderen Menschen verwandelt hat, wie beim Blick in einen dieser Zerrspiegel.

War das nicht so? Bei mir war das so. Du erinnerst dich doch, dass ich dir erzählt habe, wie ich mal im Wald zwei ausgesetzte Hundewelpen gefunden habe. Sie kauerten in einem

Karton und winselten leise, und einer von beiden hatte so einen süßen schwarzen Fleck um das eine Auge. Ich brachte den Karton nach Hause und wollte den Welpen zu trinken geben, ich wollte Hundefutter kaufen und den Karton mit einer Decke auslegen, für den Anfang. Ich wollte ihn neben mein Bett stellen und dachte auf dem Weg nach Hause über Namen für die beiden Welpen nach. Als ich in die Küche ging, um ein Schälchen zu holen, hörte ich, wie mein Vater zu meiner Mutter sagte: »Wir können keine Hunde gebrauchen, Hunde sind ein Klotz am Bein.« Er ließ Wasser in einen Plastikeimer laufen und tauchte die Welpen so lange unter, bis sie tot waren. Ich stand die ganze Zeit im Türrahmen und konnte meinen Blick nicht von ihm abwenden. Noch heute habe ich dieses Bild vor Augen. Es war, als hätte sich für einen Moment eine Öffnung aufgetan und ich hätte in einen Abgrund gestarrt, einen dunklen Riss. Ich weiß nicht, ob es daran liegt, aber ich konnte nie aus demselben Glas trinken wie er.

Ich weiß noch, wie du die weiße Tasse zum Mund führtest, deren Rand eine kleine Kerbe hatte – komisch, dass ich mich an diese Kerbe erinnere, vielleicht weil ich damals Sorge hatte, die Lippen, die ich so liebte, könnten an den scharfen Kanten hängenbleiben und sich schneiden. Du hieltest die Tasse mit beiden Händen umfasst, während ich dich fragte, was für ein Verhältnis du zu deinem Vater hättest. Du sahst mich, so wirkte es zumindest auf mich, etwas erstaunt an, als könnte man zum Vater kein gutes Verhältnis haben. »Ich liebe meinen Vater«, sagtest du mit einem Hauch von Unverständnis. Vielleicht war es auch Trotz, ich weiß es nicht, als hätte ich an deiner Liebe zu ihm gezweifelt. Aber welchen Grund hätte ich damals haben können?

Weißt du, was ich dachte, als ich sein Foto zum ersten Mal

sah? Ich dachte, du müsstest glücklich sein, solch einen Vater zu haben. Ich dachte, bestimmt hättest du viele schöne Erinnerungen an diesen Mann. Ich mochte die Art, wie er einen auf dem Foto ansah, mit einem Hauch von Skepsis im Blick, dabei aber nicht kühl oder abweisend. Hinter dieser Skepsis, so kam es mir vor, schlummerte eine Gutmütigkeit, die nur darauf wartete, sein Gegenüber ins Herz zu schließen.

Allein, dass du ein Foto von ihm über deinem Schreibtisch hattest, zeigte mir, dass er etwas Besonderes sein musste. Ich wäre nie auf die Idee gekommen, mir ein Foto meines Vaters an die Wand zu hängen, selbst wenn er tot gewesen wäre und das Foto zu einer besonderen Erinnerung gehört hätte. Aber dein Vater war nicht tot. Oder vielleicht doch, in gewisser Weise.

Dieser Gedanke kommt mir jetzt zum ersten Mal. Vielleicht hattest du deswegen das Foto an der Wand, weil du ihn verloren hattest, auf andere Weise zwar, aber trotzdem.

Du hast gesagt, du verstündest nicht, wie ich so nüchtern über meinen Vater sprechen könne, wie ein Sohn so über seinen Vater sprechen könne. Und ich habe versucht, es dir zu erklären. Dass ich mir immer gewünscht hatte, er hätte eine Schwäche gezeigt; dass er sich wenigstens beim Wandern mal den Fuß bräche. Ich habe dir erzählt, dass ich mir sogar einen Unfall gewünscht hatte, einen Autounfall, den er verursacht hätte und bei dem ich verletzt worden wäre. Ich wollte, dass er an meinem Krankenbett stehen und sich seine Schuld eingestehen müsste, weil er doch am Steuer gesessen hatte. Ich wuchs in seinem Schatten auf und habe es nicht aus eigener Kraft geschafft, aus diesem herauszutreten.

Er war ein Mann voller Leben, immer laut, immer stark, der mich, das habe ich dir erzählt, *zeko* nannte; ich wusste lange nicht, dass es »Hase« heißt. Er hat mir gern die Geschichten erzählt, wie er nach Deutschland kam, mit nichts, und dann aus seinem Leben etwas gemacht hat, wie er manchmal sogar nachts in der Werkstatt an Autos herumgeschraubt hat, damit ich es mal besser hätte.

Einem Kollegen war mal der Wagenheber abgerutscht, während mein Vater unter dem Auto lag, und alle hatten gedacht, er müsse tot sein. Die Ärzte konnten nicht fassen, dass keines seiner Organe einen Schaden erlitten hatte, und er wurde nach einer Stunde im Krankenhaus wieder entlassen. Er hat mir auch erzählt, wie er als Junge bei den Pionieren war und in den Sommerferien die Küstenstraße nach Dalmatien asphaltieren musste. Mit vierzehn begann er schon seine Lehre, und mit sechzehn war er fertig, ich hingegen saß mit achtzehn noch in der Schule.

Ich habe dir nicht erzählt, dass er, immer wenn es etwas zu feiern gab, meist im Kreise der Familie, zu viel trank und dann meine Mutter anschrie und wir auch mal im Wald schliefen, bis er ausgenüchtert war. Manchmal glaube ich, das ist der Grund, warum mir Alkohol nicht schmeckt und warum ich Vorbehalte gegenüber Familienfeiern habe. Und ich frage mich, ob nicht mein Vater vielleicht auch der Grund ist, warum ich nie seine Sprache gelernt habe und mich bewusst oder unbewusst gegen seinen Teil meiner Herkunft gewehrt habe.

Ich weiß nicht, warum, aber es ist offenbar immer der Vater, an dem man sich ein Leben lang reibt, dessen Stimme bis ins Alter nachklingt. Ich habe kein gutes Verhältnis zu meinem Vater, und trotzdem, oder vielleicht gerade deswegen, klammere ich mich an die schönen Erinnerungen, die es auch immer gibt, weil man sich so nach ihnen sehnt.

Ich vergesse nie, wie er im Garten mal Fußball mit mir gespielt hat, einfach so aus einer Laune heraus, und wir beide irgendwann gestolpert sind und dann nebeneinander auf dem Rasen lagen. Noch heute höre ich sein Keuchen, wenn ich an diesen Nachmittag denke, und noch heute spüre ich das Glück dieser Sekunden, in denen ich neben ihm auf dem Rasen lag.

Mr Nurzet, der Verteidiger, erhebt sich und wirft seiner Kollegin, die rechts von ihm sitzt, einen kurzen Blick zu, bevor er zu sprechen beginnt. Sie erwidert seinen Blick mit einem kurzen Nicken.

»Zlatko Šimić wurde in eine arme, ehrbare Familie hineingeboren, seine Eltern waren Bauern. Er hat früh gelernt, für sich selbst zu sorgen. Er hat seinen Eltern auf dem Feld geholfen, er hat die Kühe und Schweine versorgt, er hat ein paar Ferkel großgezogen und den Vater unter Tränen davon abgebracht, sie zu schlachten. Er liebte Tiere, und besonders liebte er das Reiten. Es machte ihn glücklich, auf dem Rücken eines Pferdes zu sitzen, das war schon als kleiner Junge so. Er war der Stolz seines Vaters. Er hat als Erster in der Familie das Gymnasium besucht und wurde Student der Anglistik an der Universität in Sarajevo. Später wurde er Professor an derselben Universität und ein über die Grenzen hinaus anerkannter Experte für Shakespeare. Er hat eine Familie gegründet, zwei Kinder großgezogen und ein Haus gebaut. Er hat nie Schwierigkeiten gehabt mit Muslimen.

Dann kam das Jahr 1988, das sein Leben verändert hat. In diesem Jahr hat er seinen geliebten Sohn verloren. Dieser war sechzehn, als er in Slowenien bei einem Skiunglück ums Leben kam. Zwei Tage lang hat man ihn gesucht, und als man ihn schließlich fand, war er erfroren. Ich denke, jeder von Ihnen kann sich vorstellen, was es für einen Vater bedeutet, den eigenen Sohn zu verlieren. Es ist zwanzig Jahre her, aber wenn Sie ihm in die Augen schauen und ehrlich sind, werden Sie den Schmerz noch erkennen. Er hat angefangen zu trinken. Er wurde einige Male ins Krankenhaus eingeliefert, er wurde zeitweise psychologisch betreut. Sie werden Zeugen erleben, die aussagen werden, dass es Tage gab, an denen Zlatko Šimić so betrunken war, dass er jenseits seiner selbst gestanden hat.

Seit dem Tod seines Sohnes ist Zlatko Šimić ein gebrochener Mann. Und würden Sie ihn besser kennen, wüssten Sie, wie unvorstellbar der Gedanke ist, dass dieser Mann, der hier vor Ihnen sitzt, das Verbrechen begangen haben soll, von dem Sie an dieser Stelle gehört haben. Es stimmt, er war an jenem 14. Juni 1992 in der Pionirska-Straße. Als eine Gruppe von Frauen, Kindern und alten Menschen eine Unterkunft im Haus am Bach gefunden hatte, kam Šimić gerade die Straße entlang aus der Richtung des Stadtzentrums; er war an jenem Nachmittag also in derselben Straße, aber ein Stück entfernt vom Haus. Er sah von der Straße aus ein Pferd auf einem verlassenen Hof. Er ging vom Weg ab und holte es und ist dann zurück ins Zentrum von Višegrad geritten. Es mag daran gelegen haben, dass es geregnet hat an dem Tag und die Straße schmierig war, auf jeden Fall stürzte Zlatko mit dem Pferd. Er brach sich dabei seinen linken Unterschenkel.

Es gab Zeugen, und sie werden hier vor Ihnen allen aussagen. Einer von ihnen hatte den Krankenwagen gerufen, und Zlatko wurde ins Krankenhaus von Višegrad gebracht. Ein Arzt untersuchte ihn und überwies ihn ins Krankenhaus von Užice, um Röntgenbilder von seinem Bein machen zu lassen. Zlatko wurde im Krankenwagen nach Užice gebracht. Unterwegs hielten sie in Vardište, einem Ort auf der Strecke nach Užice, in dem Zlatkos Cousin ein Café besaß. Sie machten eine Pause in dem Café. Zlatko bekam eine Decke, weil es kalt war, und blieb die ganze Zeit im Krankenwagen liegen. Später fuhren sie weiter und erreichten das Krankenhaus gegen zehn Uhr abends. Es war schon dunkel.

Zlatko Šimić war zu keinem Zeitpunkt am Mord an Frauen, Kindern und Alten beteiligt. Er wusste nicht mal von dem Feuer, das die Hasanovićs in der Nacht zum 15. Juni 1992 getötet hat. Zlatko Šimić hat sich nicht einmal vorstellen können, dass es Menschen gibt, die zu so etwas Entsetzlichem fähig sind.«

Šimić scheint von den Worten seines Verteidigers gerührt zu sein. Er atmet tief durch, er reibt sich mit dem Zeigefinger an der Nasenwurzel, seine Haltung ist weniger aufrecht. Er schließt die Augen, legt das Kinn auf die Brust, dabei verliert eine Strähne seines Haars ihren Halt, rutscht über die Schläfe und hängt ihm wie eine einzelne Franse über der Stirn. Er macht keine Anstalten, sein Haar zu ordnen oder zum Kamm zu greifen.

Er hat während der Wochen, die der Prozess schon dauert, die Überheblichkeit verloren. Vielleicht gehört es zur Taktik seiner Verteidigung.

Er fragt sich, ob es richtig war, ein zweites Mal nach Den Haag gekommen zu sein. Aber er wollte dabei sein, wenn Šimić in den Zeugenstand trat, er wollte seine Stimme hören und wissen, wie er sich gegen all diese Vorwürfe verteidigte. Nach der ersten Woche war er nach Berlin zurückgefahren, er konnte schließlich nicht wochenlang in Den Haag bleiben. Damals hatte er gehofft, sich ein eigenes Bild von ihm machen zu können, aber das stellte sich schon nach den ersten zwei Tagen als Trugschluss heraus. Er konnte Šimić nicht losgelöst von diesem Ort sehen und von den Anschuldigungen gegen ihn, auch wenn er bis zum Nachweis seiner Schuld als unschuldig zu gelten hatte. Bis aber das Gericht darüber entschied, konnte noch ein Jahr vergehen mit Dutzenden von Zeugen, Experten und einer unüberschaubaren Menge an Beweismaterial.

Warum ist er wiedergekommen? Vielleicht, weil er in Šimić den Schwarzen Mann sah und nicht anders konnte, als in den dunklen Riss zu schauen. Dass Šimić und er etwas gemein haben, dieser Gedanke überfordert ihn. Er weiß nicht, wohin mit ihm, er wünschte sich, er könnte ihn verdrängen. Sie beide lieben Ana, und er fragt sich, was Šimić über ihn weiß? Was hat Ana ihm erzählt? Er weiß, dass sie sich Briefe geschrieben haben. Hat sie ihm ein Foto geschickt?

Er hat Angst davor, Šimić könnte ihn erkennen, er könnte ihn zwischen all den anderen Zuschauern entdecken, ihn ansehen und ihn anlächeln.

Nachdem der Verteidiger die letzten Worte gesprochen und sich gesetzt hat, wendet sich der Vorsitzende Richter an ihn. »Sie sagten, im Krankenhaus seien Röntgenbilder gemacht worden. Allerdings tauchen auf der Liste der Beweismittel keine Röntgenbilder auf. Sie könnten sehr wichtig sein.«

Der Verteidiger erhebt sich wieder, streicht sich dabei mit der rechten Hand die Falten aus seiner Robe.

»Euer Ehren, ich denke auch, dass die Röntgenbilder als Beweis sehr wichtig wären, wir würden sie auch sehr gern vorlegen können. In Jugoslawien war es üblich, diese Aufnahmen den Patienten mitzugeben, und unglücklicherweise hat der Angeklagte sie nicht mehr. Als er sein Haus verlassen musste, hat er nur wenige Sachen mitnehmen können; die Röntgenbilder gehörten nicht dazu, weil er nicht dachte, dass er sie jemals wieder brauchen würde. Aber Herr Šimić wird bestätigen, dass es diese Aufnahmen gab.«

Der Richter macht eine Handbewegung in Richtung Šimić. »Wie auch immer, Herr Šimić, würden Sie nun bitte in den Zeugenstand treten?«

Wieso hat Ana ihm nie erzählt, dass sie einen Bruder hatte? Zum ersten Mal erfährt er von ihm. Er ist deutlich älter gewesen als sie; 1988 war sie sieben, er sechzehn. Was hatte sie für einen Grund, ihm ihren Bruder zu verschweigen?

In seinem Kopf dreht sich alles. Ein Bruder, erfroren, beim Skifahren. Ana. Wo war sie, als es passierte? War sie möglicherweise dabei? Warum fragt der Verteidiger nicht, wo Ana war?

Er hat sie gefragt, ob sie Geschwister hätte, gleich zu Beginn, aber sie schüttelte nur den Kopf, und er war davon ausgegangen, dass sie ein Einzelkind war wie er. Er fühlte sich betrogen. Sie hat ihm vieles verschwiegen, das ist ihm schon länger klar. Eigentlich wusste er das während der ganzen Monate, aber er hatte keine Vorstellung davon, was es war, was sie ihm verheimlichte, das Verbrechen des Vaters, den Tod des Bruders. Was konnte noch kommen?

Mr Nurzet sieht Šimić an und nickt fast aufmunternd.

»Herr Šimić, ich möchte Sie als Erstes ein paar persönliche Dinge fragen. Sie wurden in Višegrad geboren, ist das richtig?«

»Ja.«

»Der Name Ihres Vaters?«

»Ranko.«

»Und der Ihrer Mutter?«

»Ana.«

»Ihr Geburtsdatum?«

»Ich wurde am 25. August 1948 geboren.«

»Haben Sie Geschwister?«

»Ja, ich habe zwei Brüder und eine Schwester.«

»Wann haben Sie Ihre Familie gegründet, Herr Šimić?«

»Ich habe im Februar 1970 geheiratet.«

»Wann wurden Ihre Kinder geboren?«

»Mein erstes Kind, meine Tochter, wurde … eigentlich war mein erstes Kind ein Sohn, aber er ist während der Geburt gestorben, das war 1970. Dann kam mein zweiter Sohn, am 10. Juni 1972, der 1988 verunglückt ist. 1980 wurde unsere Tochter geboren. Ich habe also eine Tochter, und für die bin ich Gott dankbar.«

Sein Verteidiger nickt. Šimić hat seine Hände auf den Tisch gelegt, die rechte auf die linke. Er sitzt da, mit fast ausgestreckten Armen.

»Wo haben Sie gearbeitet?«

»Ich war Professor für Anglistik an der Universität Sarajevo.«

»Hatten Sie jemals Konflikte aufgrund ethnischer Zugehörigkeiten?«

»Nein. Ich hatte immer gute Beziehungen zu allen. An der Universität haben wir zusammengearbeitet, keiner hat jemals gefragt, was der andere ist, Kroate, Muslim oder Serbe. Das hat keinen interessiert.«

Es ist das erste Mal, dass Šimić den Kopf hebt und seinen Verteidiger ansieht.

»Herr Šimić, lassen Sie uns über Ihre Gesundheit sprechen. Sie haben einige Verletzungen davongetragen, Verletzungen und Brüche. Sie haben Ihr Bein gebrochen, am 14. Juni 1992, als Sie von einem Pferd stürzten. Ist das richtig?«

»Das ist richtig.«

»Haben Sie sich jemals zuvor das Bein gebrochen?«

»Nein, weder Bein noch Arm, nicht mal einen Finger.«

»Und nach 1992?«

»Ich habe mir dasselbe Bein 1994 noch mal gebrochen.«

»In welchem Krankenhaus wurden Sie behandelt?«

»Beide Male im Krankenhaus in Užice.«

»Wurden Sie jemals zu einem anderen Zeitpunkt stationär behandelt?«

»1976, ich hatte Probleme mit meinen Lymphdrüsen; ich war zwei Monate im Pod Hrastovima Krankenhaus in Sarajevo. 1989 war ich noch mal im Krankenhaus wegen Alkohols. Ich glaube, ich war deswegen insgesamt dreimal in der Neuropsychiatrie.«

»Das heißt: Alkoholismus war der Grund für Ihre Krankenhausaufenthalte vor 1992?«

Für einen Moment ist es still, dann hört er die Stimme der Übersetzerin: »Wir haben Ihre Antwort nicht gehört.«

Der Vorsitzende Richter mischt sich ein und bittet den Verteidiger, die Frage zu wiederholen. Mr Nurzet räuspert sich, bevor er sich erneut an Šimić wendet.

»Herr Šimić, ich frage Sie also ein zweites Mal: War Alkoholismus der Grund für die zwei Krankenhausaufenthalte vor 1992?«

»Ich sagte, 1976 war ich zum ersten Mal im Krankenhaus, um meine Lymphdrüsen behandeln zu lassen, danach, ja, war ich zweimal im Krankenhaus des Alkohols wegen.«

»Können Sie uns schildern, ob Sie aggressiv waren, wenn Sie tranken?«

»Nein.«

»Ich meine, körperlich aggressiv?«

»Nein.«

»Haben Sie jemals einen Menschen angegriffen?«

»Nein, niemals. Ich habe nie jemanden angegriffen oder verletzt.«

»Am Tag, an dem Sie Ihre Verletzung davongetragen haben, waren Sie an diesem Tag in der Pionirska-Straße?«

Wieder ist es still. Wieder greift der Vorsitzende Richter ein: »Die Übersetzer haben Ihre Antwort nicht gehört. Herr Šimić, Sie haben jetzt schon zum wiederholten Mal Ihre Stimme verloren. Denken Sie daran, wir alle müssen Sie hören können, auch die Übersetzer.«

Šimić nickt. »Ja. Ich war an jenem Tag in der Pionirska-Straße.«

Sie saßen auf dem Bett, sie zwischen seinen Beinen, er mit dem Rücken an die Wand gelehnt, ihr Kopf an seinem Kinn. So lasen sie manchmal in demselben Buch. Mit der Zeit gewöhnten sie sich ein gemeinsames Tempo an und schafften es manchmal, im exakt richtigen Moment umzublättern. Sie hatte die Knie angewinkelt, auf dem Boden neben dem Bett stand ein Glas Rotwein, das sie hin und wieder, ohne vom Buch aufzusehen, mit einer Hand ergriff und zum Mund führte.

Es war einer der Abende, an denen sie kaum sprachen und er die Vertrautheit genoss, einfach neben ihr zu sitzen und zu lesen. Im Gegensatz zu ihr gelang ihm das nicht wirklich, weil er sich dann doch von ihrer Anwesenheit ablenken ließ, den Blick von den Zeilen entfernte, um ihre angewinkelten Beine zu betrachten, ihre schmalen Fußgelenke. Sie trug ihre schwarze Brille, die sie nur zu Hause aufsetzte und die er mochte, weil sie mit ihr so gewissenhaft und ungewohnt aussah. Er sagte sich, dass er der Einzige war, der sie so zu Gesicht bekam, und dass es ein Ausdruck dessen war, dass er zu ihrem Leben dazugehörte und sie sich ein Zusammensein jenseits der ersten Verliebtheit und Neugierde mit ihm vorstellen konnte.

Irgendwann legte sie ihr Buch zur Seite, stand auf und ging zum Regal, zog den Pappkarton heraus und setzte sich zurück aufs Bett, im Schneidersitz, den Karton zwischen ihren Beinen. Sie legte den Deckel neben sich und zog einen Stapel Fotos heraus. Sie betrachtete ein Foto nach dem anderen, und dann reichte sie ihm eines nach dem anderen und sagte: »Du wolltest doch immer wissen, wie es dort aussieht, wo ich herkomme.« Nach den ersten Fotos, die er sich ansah, setzte sie sich neben ihn und erklärte ihm, was er sah, manchmal zeigte sie mit dem Finger auf etwas und berührte dabei jedes Mal das Bild.

»Meine Mutter im Garten. Im Sommer hatten wir immer Tomaten im Garten. Weißt du, dass Tomaten bei uns *paradajz* heißen?«

Es war eines der wenigen Wörter, die er sich gemerkt hatte, weil es wie Paradies klang.

»Die alte Brücke. Wenn das Wetter gut war, saß mein Vater oft auf den Steinbänken in der Mitte der Brücke. Hier, siehst du? Er saß manchmal stundenlang dort, allein oder mit Freunden. Sein Pferd, ich weiß nicht, wo er es herhatte. Meine Mutter sagte, er sei sehr glücklich über das Pferd, jeden Tag würde er beim Pferd sein, es füttern, es striegeln. Hier, das Haus, in dem wir gewohnt haben.« Es war ein großes Haus, drei Stockwerke, wobei das oberste noch unverputzt war und die Wände aus roten Ziegeln bestanden, an der Hauswand rankte sich Wein empor.

Es war das erste Mal, dass er Bilder sah von der Welt, aus der sie kam. Die Fotos strahlten eine Ruhe aus, fast schon eine Idylle.

Im Rückblick weiß er, wer in dieser Kiste fehlte. Es gab kein Foto, auf dem ein Junge zu sehen war, ein Junge, der Ähnlichkeit mit ihr hatte und ihr Bruder hätte sein können.

Er hört wieder die Stimme des Verteidigers.

»Herr Šimić, ich möchte Sie gern fragen, welche Erinnerungen Sie an diesen Tag und die Pionirska-Straße haben?«

»Um ehrlich zu sein, ich werde für ein Verbrechen in der Pionirska-Straße beschuldigt, von dem ich erst hier in Den Haag erfahren habe.«

»Dazu werden wir noch kommen. Erinnern Sie sich, was Sie anhatten, ob Sie etwas in den Händen hatten?«

»Ich hatte eine Cordhose an und einen Pullover. Ich glaube, er war dunkel, schwarz.«

»Trugen Sie etwas auf dem Kopf?«

»Das weiß ich nicht, daran kann ich mich nicht erinnern.«

»Hatten Sie etwas in der Hand?«

»Nein, nicht dass ich mich erinnern könnte.«

»Wo wollten Sie hin?«

»Ich war auf dem Weg nach Vucina.«

»Sind Sie jemandem begegnet?«

»Ja, einem Bekannten. Mujo. Er war aus Sase und kam jeden Tag an meinem Haus vorbei, wenn er zur Arbeit ging.«

»Haben Sie sich mit ihm unterhalten?«

»Ja.«

»Worüber?«

»Ich habe ihn gefragt, was es Neues gibt. Er sagte: ›Nichts. Wir müssen weg.‹ Ich fragte: ›Warum?‹ Ich weiß noch, dass er mir sagte, seine Frau habe das Dorf bereits verlassen. Er bot mir seine Kühe an. Er sagte: ›Ich habe zwei Kühe, willst du die haben?‹ Ich sagte: ›Mujo, was soll ich mit Kühen? Ich brauche keine Kühe.‹ Ich sagte ihm noch, dass er sich keine Sorgen machen solle, dieser ganze Unsinn sei bald vorbei. Ich meine, das Ganze ist sechzehn Jahre her, ich kann mich nicht mehr an alles erinnern, was wir gesprochen haben.«

»Waren noch andere Menschen da?«

»Ich erinnere mich, dass er gesagt hat, sie müssten fort. Da waren noch einige andere Menschen in der Nähe, auch Frauen. Ich erinnere mich an das Wetter, es war bewölkt, und es wehte ein starker Wind.«

»Haben Sie mit einem der anderen Menschen gesprochen?«

»Nein.«

»Haben Sie, bevor Sie Mujo begegnet sind, davon gehört, dass eine Gruppe von Menschen Višegrad verlassen musste?«

»Nein. Ich hatte nichts davon gehört. Ich hatte keine Ahnung, dass sie Koritnik verlassen mussten. Ich wusste auch nicht, wer das veranlasst hatte. Keine Ahnung. Hätte ich Mujo nicht gesehen, wäre ich auch einfach weitergegangen. Ich meine, ich wusste doch vorher nichts über diese Menschen. Dass das Rote Kreuz sie in die Pionirska-Straße geschickt hat.«

»Woher wussten Sie das mit dem Roten Kreuz?«

»Mujo hat es mir gesagt.«

»Herr Šimić, haben Sie jemals für das Rote Kreuz gearbeitet?«

»Nein.«

»Haben Sie sich jemals als Mitarbeiter des Roten Kreuzes ausgegeben?«

»Nein, warum hätte ich das tun sollen?«

»Als Sie Mujo getroffen haben, hat er Sie da gebeten, etwas für ihn aufzuschreiben?«

»Nein. Was hätte ich ihm auch aufschreiben sollen?«

»Haben Sie Papier und einen Stift bei sich gehabt?«

»Nein.«

»Nachdem Sie sich verabschiedet hatten, haben Sie das Pferd geholt?«

»Ja.«

»Haben Sie auf dem Rückweg Mujo noch mal gesehen?«

»Nein. Soweit ich mich erinnere, habe ich niemanden gesehen. Ich bin geritten, und als ich am Ortsausgang ankam, hat es angefangen zu regnen, ein kurzer, heftiger Schauer.«

»Wie schnell sind Sie geritten?«

»Nicht schnell.«

»Und dann sind Sie gestürzt?«

»Als ich an einem Restaurant vorbeikam, hörte ich jemanden rufen, es war Professor Mitrović, ich wollte umdrehen, und in dem Moment ist das Pferd gestürzt und ich mit ihm. Das Pferd stand sofort wieder auf; ich habe es versucht, konnte aber nicht. Professor Mitrović befühlte mein Bein und sagte, er glaube, es sei gebrochen. Er hat den Krankenwagen gerufen, es dauerte zehn Minuten, vielleicht fünfzehn, bis der kam. Ich wurde ins Krankenhaus gebracht, man machte Röntgenaufnahmen, und der Doktor sagte, ich hätte mir zwei Knochen gebrochen. Er hat mir das Bein verbunden und mich dann ins Krankenhaus nach Užice geschickt.«

»Wurden dort weitere Röntgenbilder gemacht?«

»Ja, sie haben mein Bein dort ein weiteres Mal geröntgt. Und ein Doktor Jovicić bestätigte mir, dass es gebrochen sei.«

Manchmal betrachtete er morgens das Foto, wenn sie noch schlief. Er wachte immer vor ihr auf. Er kochte Kaffee und brachte ihr die Tasse ans Bett, und wenn sie keine Anstalten machte, aufzuwachen, las er oder trat ans Fenster, sah in den Himmel oder betrachtete das Foto, das als einziges über ihrem Schreibtisch hing.

Es schien ihm, als passte er auf sie auf, dieser Titus Andronicus. An manchen Tagen war sein Blick strenger als an anderen. Er hielt eine innere Zwiesprache mit diesem Mann. Er nannte ihn Titus, worüber der Vater lächeln musste. Sie hat es dir erzählt? Weißt du, der war viel zu alt, sie war erst zehn. Er stellte sich vor, wie der Vater ihm Wein in ein Glas schenkte; sie saßen im Schatten hinter dem Haus, beide mit dem Rücken an die Hauswand gelehnt, den Holztisch vor sich, und sahen in den Garten, wo Ana unter einem Baum lag, auf dem Bauch, die Ellenbogen aufgestützt, ein Buch lesend. Die Mutter brachte ihnen einen Teller mit Tomaten, sie legte ein Messer quer über den Teller und stellte einen kleinen Salzstreuer auf den Tisch. Auch sie blieb, bevor sie ins Haus zurückging, einen Moment stehen und betrachtete ihre Tochter. Der Vater schob ihm das Glas zu. *Živeli*. Auf das Leben. Ana warf ihnen einen Blick zu. Später sagte sie ihm, wie froh sie sei, dass er und ihr Vater sich so gut verstünden. »Er mag dich. Du bist wie ein Sohn für ihn.«

War das sein Wunsch? Dass Šimić ihn wie einen Sohn akzeptierte? Wie unpassend dieser Gedanke war, konnte er damals nicht wissen, weil er nicht wusste, dass Šimić schon einen Sohn hatte.

»Bist du schon lange wach?«, fragte Ana, die auf einmal hinter ihm stand, die Tasse in der Hand.

»Glaubst du, dein Vater und ich würden uns verstehen?«, fragte er.

»Wie kommst du darauf?«.

»Ich weiß nicht, ich sehe jeden Morgen sein Foto und frage mich halt, ob er mich mögen würde.«

Sie hielt inne und sah ihn an.

»Ich glaube schon, dass er dich mögen würde«, sagte sie.

»Sicher bist du dir aber nicht?«

»Er wird dich mögen.«

»Und ich? Werde ich ihn auch mögen?«

»Ich kenne niemanden, der meinen Vater nicht mag«, sagte sie.

Er musste an seinen Vater denken und fragte sich, ob Ana ihn mögen würde. Wahrscheinlich schon. Es war oft so, dass seine Freunde begeistert waren von seinem Vater und er der Einzige war, den etwas störte. Sie mochten ihn, weil er unterhaltsam war und immer Geschichten parat hatte. Eine seiner Freundinnen, die er seinen Eltern vorgestellt hatte, hatte behauptet, sein Vater habe ein sanftes Gemüt, er sei äußerst sensibel. Er hatte sich gefragt, ob sie überhaupt, nach so kurzer Zeit, in der Lage wäre, das zu beurteilen.

Er sah sie beide, Ana und seinen Vater, wie sie sich in der Sprache unterhielten, die ihn außen vor ließ, wie sie zusammen in seinem Elternhaus am Esstisch saßen und lachten und er, statt sich zu freuen, eifersüchtig wurde. Hinterher sagte sein Vater zu ihm, dass sie ihm gefallen habe und er hoffentlich um sein Glück wisse. Und sie sagte ihm auf dem Nachhauseweg, sie könne kaum glauben, dass er der Sohn dieses Mannes sei, so verschieden, wie sie seien.

Sein Vater wusste von Ana, er hatte ihm am Telefon von ihr erzählt. »Schön«, hatte sein Vater gesagt, »ich hoffe, dass es was Ernstes ist.« Er hatte ihm auch erzählt, wo Ana herkam und dass sie Serbin war, aber sein Vater war nicht darauf eingegangen.

Šimić steht immer noch in derselben Haltung vor den Richtern, die Schultern hängend; es ist, als wüsste er nicht, wohin mit seinen Händen, und legt sie für einen Moment übereinander

ander wie zum Gebet, korrigiert diese Pose aber sofort wieder.

»Herr Šimić, wie lange mussten Sie im Krankenhaus bleiben?«

»Also, der Doktor hatte einen kleinen Eingriff in der Ferse gemacht. Er hat ein paar Gewichte an meinem Bein befestigt, um meinen Muskel zu dehnen, sodass die Knochen richtig zusammenwachsen konnten. So hat er es mir jedenfalls erklärt. Wie auch immer, als ich wieder zu mir kam, lag ich in einem Krankenzimmer im Bett. Ich musste einundzwanzig Tage so liegen.«

»Heißt das, Sie waren einundzwanzig Tage lang ans Bett gefesselt?«

»Ja. Es war unmöglich für mich, das Bett zu verlassen.«

»Wissen Sie noch, wer mit Ihnen im Zimmer lag?«

»Wir waren zu viert. Mein Bett stand am Fenster. Neben mir lag ein alter Mann aus Užice, dann ein Muslim aus Gorazde, dem man ein Bein abgenommen hatte, und noch ein anderer Mann aus Užice.«

»Sie verbrachten also drei Wochen in der orthopädischen Abteilung?«

»Ja.«

»Und danach?«

»Danach wurde ich in die Neuropsychiatrie gebracht. Sie gehörte demselben Krankenhaus an, war aber in einem anderen Gebäude untergebracht.«

»Warum wurden Sie verlegt?«

»Ich war in einem schwierigen Zustand, seelisch und emotional. Ich hatte Visionen und Ängste. Ich stellte mir alles Mögliche vor, ich sah mich mit Gott sprechen, mit dem Teufel, seine Augen waren zwei Vollmonde, er hatte tausend

Nasen, Hörner, gedreht und gewellt wie die gefurchte See. Ich hatte die ganze Zeit solch seltsame Bilder im Kopf und wurde sie nicht los.«

»Herr Šimić, vielen Dank.«

Er sitzt hinter der Scheibe, starrt Šimić an und ist froh, dass Ana offenbar mehr von ihrer Mutter hat, äußerlich zumindest. Die Wangenknochen, die blasse Haut, das dunkle Haar; das lässt ihm die Möglichkeit, sich vorzustellen, sie wäre nicht seine Tochter. Wie oft hat er sich in den vergangenen Wochen gewünscht, dass ihr Vater ein anderer wäre, dass der Mann, der auf der Anklagebank sitzt, nicht ihr leiblicher Vater wäre. Aber er weiß, dass Šimić ihr Vater ist. Er wusste es schon am ersten Tag, als er ihn auf sich zukommen sah, als man ihn ins Nebenzimmer führte. Er sah ihre Augen, diese ernsten dunklen Augen, in denen er sich so oft verloren hatte.

Im Traum kommt Šimić in sein Zimmer. Er kann sein Gesicht nicht sehen, nur die Umrisse seines Körpers. Es ist dunkel, aber er weiß, dass es Šimić ist. Er versucht, sich an die Dunkelheit zu gewöhnen, an die verschiedenen Schattierungen, versucht, die Gegenstände zu erkennen.

Šimić geht so zielsicher zum Schrank, in dem sich ein kleiner Kühlschrank mit der Minibar befindet, als kennte er das Zimmer, er geht an den zwei Stühlen vorbei, am Tisch. Ohne zu zögern, findet er den Griff, öffnet die Schranktür. Er sieht den matten Schein des Kühlschranks, der sich auf den Teppich gelegt hat. Šimić hält mit einer Hand die Kühlschranktür und sucht mit der anderen die Fläschchen ab. Er setzt sich auf einen der Stühle, zieht sich den anderen heran und streckt seine Beine aus. Er schnürt sich die Schuhe auf. Dann lehnt er sich zurück, hebt die Arme über den Kopf und gähnt.

Später schläft Šimić neben ihm im Bett. Er versucht, Licht zu machen, drückt den Schalter, aber nichts passiert, er will raus aus dem Bett, aber er kommt nicht aus der Decke heraus, er ist in ihr verfangen. Sosehr er sich auch müht und strampelt, er kann sich nicht befreien. Šimić dreht sich zu ihm und legt ihm die Hand aufs Gesicht.

Es ist mitten in der Nacht. Er steht auf, tastet sich im Dunkeln ins Bad, bleibt vor dem Waschbecken stehen und schiebt mit dem Fuß die Fußmatte heran, sodass er sich daraufstellen kann. Er dreht den Hahn auf und hält seine Hände unter das kalte Wasser.

Im Spiegel sieht er nichts als Dunkelheit. Zurück im Zimmer, tastet er sich zum Kühlschrank, öffnet die Tür und sieht, dass nichts fehlt. Ana wusste von Anfang an, dass er nicht trank. Und sie hatte recht: Er hatte Angst, loszulassen. Vielleicht hatte er auch Angst vor dem Leben.

Er schließt die Augen und greift eines der Fläschchen. Er schraubt den Verschluss ab und trinkt den Inhalt in einem Zug aus, ohne zu wissen, was er trinkt. Es brennt in seinem Hals. »*Živeli*«, sagte sie. »*Živeli*«, sagte er. Dann legt er sich wieder ins Bett.

»Junge, was ist nur los mit dir?« Es ist Šimić, der ihn fragt, er sitzt immer noch auf dem Stuhl, mit ausgestreckten Beinen. »Den ganzen Tag aufrecht sitzen, das ist nichts für mich. Ich meine, was wollen die von mir? Die kennen mich nicht. Ist das nicht verrückt, da sind so viele Menschen damit beschäftigt, über mich zu urteilen, dabei müssten sie doch nur dich fragen. Du kennst mich doch, oder nicht?« Er holt ein weiteres Fläschchen aus dem Kühlschrank, trinkt es im Stehen aus und zerschlägt es an der Wand. »Ich habe ihn geliebt. Gott weiß das. Ich habe ihn geliebt. Ich hätte dich geliebt. Aber es ist offenbar mein Schicksal, Söhne zu verlieren.«

Er sah sich mit Gott und dem Teufel sprechen.

Es ist vor allem dieser Satz, der ihn nicht loslässt. Warum hat er das gesagt? Um seine Verwirrung zu verdeutlichen? Was beschäftigte ihn derart, dass er hin- und hergerissen war zwischen diesen moralischen Polen? War es die Tat, die sein Gewissen belastete? War die Zwiesprache mit dem Teufel und den Hexen, von der Šimić erzählte, ein weiteres Indiz für seine gelebte Tragödie? War das nicht Shakespeare? Vielleicht war Šimić – oder bildet er es sich im Nachhinein nur ein? – ein gebrochener Mann mit einem verwirrten Geist.

Der Richter musste ihn zweimal auffordern, sich zu setzen, weil Šimić einfach stehen geblieben war, wie ein Mensch, der die Orientierung verloren hat. »*Mr Šimić, please sit down.*« Für Šimić eine Stimme wie aus einer anderen Welt, die ihn nicht erreichte.

Woran mochte er gedacht haben? Sah er die Brücke vor sich? Die Menschen, die sich ihm näherten, in einer langen Reihe, Alte und Frauen, dazwischen Kinder? Verängstigte Menschen, deren einzige Hoffnung die Busse waren, die sie aus dieser Stadt schaffen würden, wohin auch immer, nur weg. Verfolgten ihn diese Menschen? Ließen sie ihm nachts keine Ruhe? Kein Mensch konnte mit so einer Tat leben. Wie wurde man diese Gesichter wieder los?

Es war niemand da, der ihn hielt, der seine Hand nahm, der ihm seinen Namen zuflüsterte. Zlatko, du bist hier, weil sie hungrig waren und du ihnen nicht zu essen gegeben hast. Sie waren durstig, und du hast ihnen nicht zu trinken gegeben. Sie waren Fremde, und du hast sie nicht aufgenommen. Und nun wirst du hingehen zur ewigen Strafe, die dir das Höchste Gericht auferlegt.

Er wehrte sich nicht. Er taumelte nicht. Er stürzte nicht. »*Mr Šimić, please sit down.*« Er setzte sich. Und dann wandte er sich dem Publikum zu. Er schaute sie an, sie alle, die hinter der Scheibe saßen. Er schaute einen nach dem anderen an. Aber ihre Blicke trafen sich nicht.

Er hatte Ana gegenüber das Tribunal angesprochen, und sie hatten einen kurzen Disput gehabt. Er hatte beim Frühstück von einer Meldung in der Zeitung berichtet, die er gerade las. Vojislav Šešelj, dem schwere Kriegsverbrechen vorgeworfen wurden, war in einen Hungerstreik getreten, und das Tribunal war über seine Gesundheit ernsthaft besorgt.

»Und warum liest du mir das vor?«, fragte sie.

»Ich weiß nicht«, sagte er, »ich dachte, es interessiert dich.« Aber warum hätte es sie interessieren sollen? Weil es mit dem Krieg zu tun hatte? Weil es sich um einen serbischen Angeklagten handelte?

»Du willst wissen, was ich davon halte?« Sie schob ihre Tasse beiseite und sah ihn an. »Ich kann ihn verstehen«, sagte sie, »dieses Tribunal ist voreingenommen, es geht da nicht um Gerechtigkeit.«

Zuerst war er sich nicht sicher, ob sie ernst meinte, was sie sagte, oder ob sie ihn nur provozieren wollte. Er ist sich immer noch nicht sicher. Sie war gereizt. Es schien ihm fast, als hätte sie nur darauf gewartet, dass er vom Tribunal anfing, um loszuwerden, was sich in ihr aufgestaut hatte. Es war offensichtlich, dass sie sich mit dem Tribunal befasst hatte. Wie sehr dieses Gericht sie anging, konnte er damals nicht ahnen. Aber er spürte ihre Wut.

»Was erzählst du denn da?«, fragte er.

Sie sagte: »Wenn das Gericht so unvoreingenommen ist, wie alle behaupten, dann soll es Clinton und Schröder anklagen und all die anderen westlichen Politiker, die verantwortlich sind für die Bombardierung eines souveränen Staats. Das war Serbien nämlich.«

Er schwieg.

»Weißt du, wie das war? Nein, das kannst du nicht wissen. Du hast nie erlebt, wie es ist, wenn Bomben auf deine Stadt fallen. Es ist anders als im Fernsehen.«

Es klang wie eine Anklage. Ohne dass er gemeint sein konnte, fühlte er sich angesprochen. Was konnte er dafür, dass er diesen Krieg als Zuschauer wahrgenommen hatte? Hieß das, er dürfe nicht mitreden? »Ich werde es nie vergessen«, sagte sie, »ich saß im Kino, als es anfing. Der Film lief weiter, als wäre draußen nichts passiert. Aber als ich aus dem Kino kam, war der Himmel rot. Er stand in Flammen. Zwanzig Kilometer von Belgrad entfernt, in Pančevo, war die Erdölindustrie bombardiert worden. Auf den Straßen rannten Menschen, ich stand da und wusste nicht, was los war. Ich sah die Leute rennen und die Straßen voller Autos, die sich nicht bewegten. Ich verbrachte die Nacht in einer unterirdischen Bahnstation, zusammen mit vielen anderen, und kam erst am nächsten Morgen nach Hause. Tagelang habe ich die Wohnung nicht verlassen. Mit Freunden saß ich im Zimmer, wir redeten, und wenn Strom da war, sahen wir fern. Meine mündliche Prüfung fand irgendwann statt. Der Professor fragte, während draußen der Luftalarm heulte. Es waren furchtbare drei Monate, und es gibt niemanden, der dafür zur Rechenschaft gezogen wird. Findest du das gerecht?«

Was hätte er antworten können? Ja, das finde ich gerecht? Es war das erste Mal, dass sie davon sprach, wie es ihr während dieser Zeit, als die Bomben auf Belgrad fielen, ergangen war. Und er? Er war verletzt. Weil sie ihn ausgeschlossen hatte, weil sie ihm unterstellte, er könne nicht nachfühlen, was sie erlebt hatte, und ihm die Fähigkeit zur Empathie absprach.

Hatte er nicht von Anfang an versucht, sie zu verstehen? Hatte er nicht begonnen, Bücher zu lesen und sich für ihre Geschichte zu interessieren? Hatte er nicht schon unendlich viel über die eigene Geschichte nachgedacht, und hatte er sich durch sie nicht zum ersten Mal dafür geschämt, seiner eigenen Herkunft gegenüber so ignorant gewesen zu sein?

Er dachte an seine Tante, die in Karlovac lebte, auch damals,

als der Krieg in Jugoslawien ausbrach, und wie wenig es ihn damals gekümmert hatte, wie es ihr erging, als die ersten Mörser auf die Stadt fielen. Gleich zu Beginn rief sein Vater seine Schwester an und fragte, ob sie zu ihnen nach Deutschland kommen wolle. Seine Eltern hatten sich vorher noch gestritten, weil seine Mutter von der Idee nicht begeistert war. Wer wisse schon, wie lange der Krieg andauern werde, sagte sie, am Ende werde sie Monate bei ihnen wohnen bleiben, vielleicht sogar Jahre. Auch er dachte daran, dass er eines seiner beiden kleinen Zimmer hätte mit ihr teilen müssen. Sein Vater sagte, sie sei seine Schwester, und wenn sie kommen wolle, werde er sie aufnehmen. Es war ein kurzes Telefonat. Nachdem sein Vater aufgelegt hatte, sagte er: »Sie will nicht. Sie will lieber bleiben. Wenn es mich trifft, trifft es mich, so ist das Leben.« Seine Mutter war sichtlich erleichtert und er auch, obwohl er nicht verstand, warum sie bleiben wollte und sich der Gefahr aussetzte. Sie hätte zu ihnen nach Deutschland kommen können und wäre in Sicherheit gewesen, sie hätte in keiner Flüchtlingsunterkunft wohnen müssen, sondern hätte bei ihrem Bruder ein eigenes Zimmer haben können.

Er hatte sich damals auch nicht vorstellen können, was sie so sehr hielt an ihrer kleinen Wohnung, an diesem einen Zimmer, in dem sie bis zum Tod des Onkels zu zweit und über viele Jahre, als ihre Kinder noch zu Hause wohnten, zu viert gelebt hatten. Die paar Male, die er und seine Eltern zu ihr gefahren waren, hatten sie so gut wie nie das Zimmer verlassen, von morgens bis abends hatten sie auf dem Sofa gesessen, und wahrscheinlich hatte sie auch die Jahre während des Krieges auf dem Sofa verbracht.

Im Nachhinein schämte er sich, dass das Schicksal seiner Tante ihm so fern war. Aber auf Ana traf das nicht zu.

Sie konnte ihm nicht vorwerfen, dass er zu wenig Anteil an ihrem Leben nahm. Im Gegenteil. Sie war es, die sich zurückzog und sich schon angegriffen fühlte, wenn er ihr aus der Zeitung vorlas. Er fragte sich, ob ein Mensch, der aus dem Ort seiner Kindheit vertrieben und dann später in der neuen Heimat wieder beschossen worden war, daraus etwas Schicksalhaftes ableitete.

Er sagte: »Nur weil du einen Krieg erlebt hast, heißt das nicht, dass du anderen moralisch überlegen bist.« Sie sah ihn an, mit hartem Blick, aus der Bewegung ihrer Lippen schloss er, dass sie etwas sagen wollte, es dann aber sein ließ. Sie schüttelte ungläubig den Kopf, schaute aus dem Fenster und stand dann auf.

Nachdem sie gegangen war und die Tür hinter sich zugezogen hatte, blieb er in der Küche sitzen und wusste nicht, was er tun sollte. Er sah ihre Tasse, er sah den Fleck, den ein Kaffeetropfen am Tassenrand hinterlassen hatte, ein bräunlicher Fleck auf weißem Porzellan, der jetzt, in der Erinnerung, wieder Gestalt annimmt, deutlich, so deutlich, als sei der Rest des Bildes um diesen Fleck herumdrapiert. Er wollte den Schwamm nehmen und den Tassenrand abwischen, rührte sich aber nicht.

Er sah den Teller, auf dem die Krümel vom Brot lagen, das Messer daneben, dessen Klinge mit einer dünnen Schicht von Erdbeermarmelade überzogen war. Ihre Hausschuhe standen unter dem Tisch, vor ihrem Stuhl; sie hatte sie abgestreift. Der linke lag etwas verloren neben dem Tischbein.

Er saß inmitten ihrer Küche und suchte Halt. Dass sie gegangen war, machte ihm Angst. Er hatte Angst, dass eine Frau wiederkam, die er nicht kannte. Er weiß nicht, wie lange er da saß. Er machte sich Vorwürfe, er sei unsensibel gewesen. Er suchte nach Worten. Er wollte sich entschuldigen. Er wünschte sich, den Schlüssel zu hören, der sich im Schloss drehte, ihre Schritte auf den Dielen. Diese Vertrautheit des Nachhausekommens. Das Geräusch von Kleiderbügeln, von Schuhen, die abgestellt werden, vom Schlüsselbund, das aufs Regal gelegt wird. Es dauerte eine Ewigkeit.

Als sie in die Küche kam, blieb sie neben dem Tisch stehen. Er sah eine Müdigkeit, die er nicht kannte, ihre Haut wirkte fahl, ihre Augen lagen im Schatten der eigenen Höhlen. War es das Licht, das sich verändert hatte? Oder seine Wahrnehmung? Sie nahm die Tasse mit beiden Händen, als wäre sie ein schwerer Stein, warf einen Blick in die Tasse und trank sie mit einem Schluck aus.

Er hat Anas Worte wieder im Kopf. Und er fragt sich, ob Ana die Gesten der Richter und Ankläger anders deuten würde. Der Richter zur Linken, der meist die Arme vor der Brust verschränkt, die Assistentin des Anklägers, die so teilnahmslos die Akten über den Tisch schiebt, der Vorsitzende Richter, der den Angeklagten regelmäßig unterbricht, in einem Tonfall, den man barsch nennen könnte, und ihn darauf hinweist, dass er die Pausen vor seinen Antworten nicht vergessen soll, weil er sonst die Arbeit der Dolmetscher unnötig erschwere, »*as I told you before*«. Für sie wären das womöglich Zeichen von Überheblichkeit. Sie sähe diese Menschen vielleicht als Vertreter einer Siegerjustiz und in ihren Gesten eine Demütigung.

Und er? Ist er als Zuschauer ein Teil dieser Welt, die sich gegen die ihre verschworen hat? Nein, das kann sie nicht gedacht haben, er hat sich doch nicht gegen sie verschworen, er hat sie geliebt, er liebte sie, er täte alles für sie. Ana, das kann nicht sein.

»Wissen Sie«, hatte der Professor gesagt, »es ist tragisch und historisch. Serbien ist wahrscheinlich das einzige Land in Europa, das keine Katharsis erlebt hat. Es lebt seit fast zwanzig Jahren mit dem Schuldkomplex, von der Welt isoliert. Selbst nach dem Krieg wurde kein Neuanfang gemacht, derselbe Kriegstreiber im Amt, und selbst nach dessen Sturz gab es nur für einen Moment einen Hoffnungsschimmer, dann wurde Djindjić erschossen. Sie müssen sich mal vorstellen, was das für die jungen Menschen in Serbien bedeutet, die noch heute dafür büßen müssen. Sie ist vielleicht die einzige Generation dieses Alters in Europa, die nicht frei reisen darf, weil Europa sie nicht will.«

Eine Woche nachdem er Ana zum letzten Mal gesehen hatte, saß er noch mal mit dem Professor zusammen. Er hat ihm nicht erzählt, was er über Ana erfahren hatte. Er hat ihm nicht erzählt, dass er kaum noch schlafen konnte, weil sich in seinem Kopf alles drehte, dass es ihm schwerfiel, morgens in die Universität zu kommen, dass er sich betrogen fühlte, dass er sich ständig fragte, was geschehen war, dass er seit Tagen nichts mehr gegessen hatte, die meiste Zeit auf seinem Bett verbrachte und sich wünschte, es wäre alles nur ein Missverständnis, hoffte, es würde klingeln und sie würde vor der Tür stehen, hoffte, sie würde zumindest anrufen oder ihm einen Brief schreiben.

Bis heute wartet er darauf, dass sie ihm endlich von sich erzählt, wenigstens um ihrer Liebe willen versucht, ihm vieles zu erklären.

Es scheint, als habe sich die Stimme des Verteidigers verändert. Der Ton ist sanfter als noch am Tag zuvor, als er Šimić befragte. Mr Nurzet spricht langsamer, ruhiger und macht öfter Pausen, als wolle er der Frau, die im Zeugenstand sitzt, Zeit geben, über ihre Worte nachzudenken, und sie davor bewahren, etwas Unüberlegtes zu sagen.

»Frau Šimić, bitte versuchen Sie sich den April 1992 zu vergegenwärtigen und erzählen Sie uns, wo Sie zu besagtem Zeitpunkt waren.«

Als er am Morgen den Zuschauerraum betrat, wusste er nicht, dass kurz darauf Anas Mutter im Gerichtssaal erscheinen würde. Er sah eine ältere, sichtlich verunsicherte Frau, die durch die Tür rechts von der Richterbank den Raum betrat. Sie blieb kurz stehen und blickte die Richter an, bis einer von ihnen auf den Tisch deutete, zu dem sie dann der Saaldiener geleitete. »Mrs Šimić, *please.*« Erst als der Richter ihren Namen aussprach, wurde ihm klar, wer diese Frau war. Für einen Moment fühlte er sich wie betäubt. Der Gedanke war ihm nie gekommen, Anas Mutter könnte hier vor Gericht erscheinen. Und jetzt sitzt sie da, zwei Meter von ihm entfernt, nur durch eine Scheibe getrennt. Sie trägt eine weiße Bluse, einen schwarzen knöchellangen Rock, im Gegensatz zu Šimić hat sie graue Haare. Er hat sie sich anders vorgestellt, weniger rund, jünger.

Wie unwirklich es ihm vorkommt, Anas Eltern an diesem Ort zu sehen, zwei Menschen hinter Glas. Er kann sie sehen, mehr nicht. Er stellt sich vor, Ana wäre auch da, Vater, Mutter,

Tochter – und zum ersten Mal ist er froh, dass sie nicht hier ist. Er würde den Anblick der Familie an diesem Ort nicht ertragen. Alle drei vereint im Gerichtssaal, die Tochter, die hier wäre, weil sie an das Gute in diesem Mann glaubt, der Kinder im Feuer sterben ließ. Er will sich nicht vorstellen, wie sie dort im Gerichtssaal sitzt, vor den Augen ihres Vaters, und ihn als Zeugin in Schutz nimmt. Wie sie ihn als liebevollen Vater beschreibt, ihre Kindheitserinnerungen schildert und bereitwillig auf Fragen des Verteidigers antwortet. Hier, vor all diesen Menschen, Richtern, Anklägern, Verteidigern, Zuschauern. Er würde sich ohnmächtig fühlen. Er könnte nur dasitzen und zuhören. Sie wäre so nah und doch hinter Glas. Und er nur Zuschauer.

Anas Mutter setzt zweimal an, bis sie genug Kraft in der Stimme hat, um auf die Frage des Verteidigers zu antworten.

»Im April waren wir in Belgrad. Wir mussten aus Višegrad fliehen, Häuser fingen an zu brennen, und jeder, der Kinder hatte, verließ die Stadt.«

»Frau Šimić, Sie sagten: ›Wir mussten fliehen.‹ Wen meinen Sie mit ›wir‹? Wer aus Ihrer Familie war mit dabei?«

»Ich und meine Tochter Ana.«

»Zuvor sagten Sie, jeder verließ die Stadt, weil Häuser in Brand gesetzt wurden. Wen meinen Sie mit ›jeder‹?«

»Zu der Zeit waren es Frauen mit Kindern, die flohen, weil sie Angst hatten.«

»Sie meinen, zu jener Zeit in Višegrad zu sein war nicht sicher, oder meinen Sie etwas anderes? Etwas Bestimmtes?«

»Es war nicht sicher, mit Kindern in der Stadt zu bleiben, weil sie uns bedrohten. Ein paar dieser Leute haben den Staudamm besetzt. Sie wollten ihn sprengen und alle Dörfer an der Drina überfluten.«

»Von welchen Leuten sprechen Sie?«

»Es waren Muslime aus der Umgebung. Sie wollten alles unter Wasser setzen, uns alle umbringen.«

»Zu Beginn sagten Sie, dass einige Häuser in Brand gesetzt wurden. Können Sie beschreiben, welche Häuser das waren?«

»Ich glaube, dass das Haus von Savić, Branko, brannte. Ja, ich glaube, er hieß Branko Savić.«

»Welcher ethnischen Zugehörigkeit waren die Menschen, deren Häuser brannten?«

»Sie waren Serben.«

»Ihr Mann Zlatko ging nicht mit nach Belgrad?«

»Nein, er blieb in unserem Haus.«

»War er mit Ihrer Flucht einverstanden?«

»Ja, es war seine Idee. Er sagte, wir müssten gehen. Er hatte Angst, dass uns etwas passieren könnte.«

Anas Mutter fühlt sich sichtlich unwohl im Gerichtssaal. Sie weiß nicht, wohin sie schauen soll, und sieht den Verteidiger nur selten und dann flüchtig an. Sie spricht leise, sodass der Richter sie öfters ermahnt, sich näher ans Mikrophon zu beugen. Es ist, als hätte sie Angst vor diesem schwarzen Gerät. Sie hat es nicht angefasst, es war der Verteidiger, der zu ihrem Tisch kam und das Mikrophon auf ihren Mund richtete.

Wahrscheinlich hat sie noch nie vor so vielen Menschen gesprochen. Die Aufregung, die schlaflosen Nächte, die Reise an den fremden Ort, das hat sie alles für ihn getan. Das Wiedersehen. Tat sie es aus Liebe? Er hätte gern gewusst, ob sie sich berührt haben, als sie sich wiedersahen. Im Gerichtssaal meidet sie den Blick ihres Mannes. Šimić hingegen lässt während der ganzen Zeit seinen Blick nicht von seiner Frau.

»Können Sie uns etwas über Zlatkos Familie sagen? Hat er

Geschwister? Wenn ja: Wer sind sie? Wo leben sie? Und sind sie jünger oder älter?«

»Zlatko ist das älteste Kind seiner Eltern. Er hat zwei jüngere Schwestern, einen Bruder und eine Halbschwester. Eine Schwester lebt in Belgrad, eine in Banja Luka und der Bruder in Vardište.«

»Sie sagen, er habe eine Halbschwester. Ist sie eine Halbschwester von Seiten seiner Mutter oder seines Vaters?«

»Von Seiten seines Vaters.«

»Heißt das, dass Zlatko seine Mutter verloren hat oder dass sich sein Vater von ihr getrennt hat?«

»Seine Mutter ist verschwunden, als er acht Jahre alt war. Ich glaube, er war acht, genau weiß ich es nicht.«

»Was heißt: Sie ist verschwunden?«

»Sie war eines Tages nicht mehr da.«

»Und der Vater hat ein zweites Mal geheiratet? Ist das richtig?«

»Ja, das ist richtig.«

Er wusste fast nichts über Anas Mutter, Ana hat so selten über sie gesprochen; es war, als hätte sie in Anas Wahrnehmung kaum eine Rolle gespielt. Er hatte ein Foto von der Mutter gesehen, auf dem Foto aber stand sie einen Schritt hinter ihrem Mann; es wirkte, als sei sie unbeabsichtigt mit auf das Foto geraten. Er schien nicht zu wissen, dass sie auch im Bild war, so ausladend, wie er dastand, den Blick starr in die Linse gerichtet.

Sie war kleiner als er, und es brauchte keine große Deutungskunst, um zu sehen, dass sie in seinem Schatten stand. Ob sie diesen Schatten suchte oder der Schatten sich einfach über sie gelegt hatte? Er wusste, dass sie sich um das Haus kümmerte, um den Garten. Ein einziges Mal war sie außer Landes gewesen, als ihr Mann eine Einladung nach Yale bekommen hatte, um dort über das Rachemotiv bei Shakespeare zu sprechen. Sie kannten sich seit ihrer Kindheit, sie war die Tochter eines Vetters seines Vaters, und es war früh klar, dass sie füreinander bestimmt waren. Die einzige Erinnerung mit der Mutter, von der Ana ihm erzählt hatte, war die ihrer gemeinsamen Flucht. Es war eine stille Flucht. Ana hatte ihm erzählt, wie sie im Bus nach Belgrad saßen, sie am Fenster, die Mutter neben ihr, niemand sprach, der Motor kämpfte sich durch die Berge, und das Fenster, an dem sie saß, vibrierte, und sie hatte ihr Gesicht an die Scheibe gedrückt, damit es Ruhe gab.

Er hat Angst, dass die Tür zum Gerichtssaal aufgehen und Ana hereinkommen könnte. Eine innere Unruhe befällt ihn. Mit seinen Händen umgreift er die Stuhllehnen, damit die Leute neben ihm nicht sehen, wie seine Finger anfangen zu zittern.

Er hat Ana seit Wochen nicht mehr gesehen. Anfangs wollte er allein sein, in Ruhe über alles nachdenken, zumindest gab er das vor, auch sich selbst gegenüber. Aber da war noch mehr. Das Gefühl, betrogen zu werden, dieses Gefühl, dass sie zwei Leben führte, eines mit ihm und eines ohne ihn; es kam ihm so vor, als hätte sie ein Doppelleben. Sie hatte sein Vertrauen nicht erwidert. Er war verletzt, gekränkt und hoffte, dass sie einen Schritt auf ihn zumachte, dass sie zu ihm käme, vor seiner Tür stünde, ihm schrieb oder wenigstens anrief und ihm alles erklärte. Er war bereit, alles, was sie ihm erzählte, zu verstehen. Dass sie nicht kam, bedeutete für ihn, dass er es ihr nicht wert war, ihm ihr anderes Leben zu offenbaren und ihn daran teilhaben zu lassen.

Er suchte nach Momenten, die seine Zweifel stützten. Er dachte an die Rückfahrt von der Ostsee, wie sie im Auto saßen und sie ihm serbische Wörter beibrachte: Meer – *more*, Wind – *vetar*, Wellen – *talasi*, Sand – *pesak*, Leben – *život*. Das Wort »Liebe« fehlte. Es wäre das erste gewesen, das ihm eingefallen wäre.

Oder der Tag im Sommer. Sie lagen im Tiergarten. Ana hatte ihr T-Shirt etwas hochgezogen, sodass ein Stück ihres Bauches von der Sonne beschienen wurde. Sie legte ihre Hand in seine, und er schob seine Finger zwischen ihre. Mit der anderen Hand tastete sie nach der Wasserflasche, dann löste sie sich vorsichtig aus seinen Fingern, schraubte den Deckel der Flasche ab, richtete ihren Oberkörper etwas auf und trank. Sie sah ihn an. Das Bild dieses Blicks hat sich ihm eingeprägt. Ihr Gesichtsausdruck wie abwesend, ihr Blick aber so klar und tief und auf ihn gerichtet, als hätten die Augen nichts zu tun mit dem Mund, der ein Lächeln erahnen lässt. Der Moment ist herausgerissen aus dem Zeitfluss, in dem sie als Nächstes ihm die Flasche hinhielt, mit wassergefüllten Wangen, und er die Flasche nahm und den Rest in einem Zug austrank. Es war, als flösse mit dem Wasser das Glück in ihn. Er sprang auf, er stellte sich über sie, bohrte den großen Zeh in ihren Nabel. Sie zuckte zusammen, setzte sich, nahm seine Hände und legte ihr Gesicht hinein. Es war erhitzt von der Sonne, auf den Fingerkuppen spürte er einen Film aus Schweiß. »Weißt du«, sagte er, »wie glücklich du mich machst? Weißt du, wie froh ich bin, dass du in mein Leben geraten bist?« Bis heute glaubt er, dass sie Tränen in den Augen gehabt hatte. Und in ihren Tränen sah er seine Liebe erwidert. Vielleicht aber waren es Tränen des Abschieds gewesen?

Ob alles in Ordnung sei, hatte er gefragt, aber nicht, ob sie ihn denn auch liebe. Für ihn war die Liebe des anderen etwas Labiles, etwas Zerbrechliches, wie ein Mobile, das beim leisesten Anstoß in Bewegung geriet, sich drehte und nicht mehr festzuhalten war. Die letzte Frau, in die er sich verliebt hatte, warf ihm vor, er hätte das zarte Pflänzchen der Liebe kaputt getreten, weil er ihm keine Zeit gelassen habe, zu gedeihen. Es ist dieser Satz, der ihm geblieben ist, den er nicht mehr loswird. Das Komische ist nur, dass seine Liebe zu Ana schwer war wie ein Findling, durch nichts zu erschüttern. Deshalb hat er nicht gefragt. Er wollte nichts in Bewegung bringen. Er sagte: »Weißt du, dass ich noch nie jemanden so geliebt habe wie dich?« Und sie berührte sein Gesicht und fuhr mit dem Zeigefinger ihrer rechten Hand seinen Nasenrücken entlang, über seine Lippen und strich ihm dann die Haare aus der Stirn.

Vielleicht ist es das, was er ihr am meisten vorwirft, dass sie seinen Erinnerungen die Unbeschwertheit genommen hat.

Er kann nicht von ihr lassen, auch nach Wochen kann er es nicht. Dass er nach Den Haag gefahren ist, war letztlich der verzweifelte Versuch eines Verstehens. Er hatte Angst, ihren Vater zu sehen. Weil er Angst davor hatte, er könnte aus Liebe zu Ana einen Mann, der zweiundvierzig Menschen in den Tod geführt hatte, in Schutz nehmen und so das eigene moralische Empfinden hintergehen. Er hatte Angst davor, an der Glaubwürdigkeit einer Frau, die dieses Feuer überlebt hatte und als Zeugin auftrat, zu zweifeln, weil er sich nach Anas Liebe sehnte und alles für sie täte. Genauso hatte er Angst davor, in dem Mann, der Anas Vater war, das Böse zu entdecken und ihn zu verabscheuen.

Wenn Ana den Zuschauerraum beträte, sich umsähe und ihn hier unter den Zuschauern entdeckte, müsste ihr klar sein, wie ernst ihm alles war und nach wie vor ist. Wie würde sie ihm begegnen? Und er ihr? Was könnten seine ersten

Worte sein? Oder ihre? »Ich habe gehofft, dich hier zu treffen«, könnte sie sagen. Und er könnte erwidern: »Ana, du hattest recht, das alles hier hat nichts mit uns zu tun.«

Der Verteidiger macht eine Pause, seine Kollegin zur Rechten schiebt ihm eine Notiz über den Tisch, er wirft einen kurzen Blick auf den Zettel und nickt. Dann wendet er sich wieder seiner Zeugin zu.

»Frau Šimić, können Sie beschreiben, wie sich Ihr Mann unter Alkoholeinfluss verhalten hat?«

»Es war nicht gut für ihn, weil er nach einigen Tagen nicht mehr wusste, was er sagte. Er fing an zu brabbeln. Aber soweit es die Familie betraf, war er in Ordnung. Er hat uns nichts getan, er hat seine Tochter geliebt. Das Einzige war, dass das Trinken nicht gut für ihn war.«

»Wenn Sie sagen, es war nicht gut für ihn, was genau meinen Sie?«

»Nach zwei oder drei Tagen konnte er nicht mehr essen. Er war sich auch nicht mehr bewusst, was er sagte.«

»Erinnern Sie sich, wann er anfing zu trinken und wann er zum ersten Mal in Behandlung war?«

»Er fing nach dem Tod unseres Sohnes an.«

»Wie alt war Ihr Sohn, und unter welchen Umständen ist er gestorben?«

»Er war sechzehn. Er war mit einer Jugendgruppe in Slowenien und ist beim Skifahren gestürzt. Man hat ihn erst gefunden, als er schon tot war.«

Nichts kann für Eltern schlimmer sein, als ihr Kind zu verlieren. Er fragt sich, wie Anas Mutter mit dem Tod ihres Sohnes zurechtgekommen ist. Saß die Trauer immer noch in ihr? Und wie war das für Ana? Er hatte einen Bekannten, der sechzehn war, als dessen Bruder starb. Er hat es nie verwunden, bis heute fühlt er sich schuldig, weil er nicht erklären kann, warum er lebt und sein jüngerer Bruder nicht. Und Ana? Wieso konnte sein Bekannter mit ihm darüber reden, wie sehr ihn der Tod seines Bruders belastete, und wieso konnte Ana über das alles nicht reden?

Er sieht ihre Mutter an, als könnte er in ihrem Gesicht eine Antwort finden. Er versucht, sie sich als junge Frau vorzustellen, wie Ana jetzt. Aber es gelingt ihm nicht. Das Leben hat sie Kraft gekostet, das ist ihr anzusehen. Er hätte zu gern gewusst, was sie tief im Innern gedacht hat, als sie von seiner Verhaftung erfuhr. Ob sie ahnte, dass es kein Missverständnis war? Ob sie es ihm insgeheim zugetraut hat? Ob sie ihn möglicherweise sogar verstehen konnte, weil sie wusste, wie sehr das Leid sie beide verrückt machte?

Soldaten der Nato-Schutztruppen hatten das Haus von Anas Großeltern gemietet; es lag zehn Meter vom Haus der Šimićs entfernt, dem Haus, das sie sich in den Jahren vor dem Krieg gebaut hatten. Die Mutter erzählt von dem guten Verhältnis zu den französischen Soldaten. Sie haben sich gegrüßt. Sie seien Freunde gewesen, sagt sie; sie benutzt wirklich das Wort »Freunde«. Wenn die Soldaten feierten, Geburtstage oder Weihnachten, ist sie rübergegangen, hat für sie gekocht, und sie hat ihnen Tomaten aus dem eigenen Garten gebracht. Der Verteidiger fragt, ob die Soldaten den Namen ihres Mannes gekannt hätten. Und sie sagt: »Natürlich, jeder von ihnen wusste, wer wir waren, und jeder kannte Zlatko.«

»Hat jemals irgendjemand von offizieller Seite Ihrem Mann gesagt, dass er verdächtigt wird und Ermittlungen gegen ihn laufen?«

»Nein, niemals.«

»Hat Ihr Mann Ihnen gegenüber jemals erwähnt, dass er

Befürchtungen habe, er könnte festgenommen werden oder dass gegen ihn vorgegangen würde?«

»Nein, niemals.«

Nach der Mittagspause übernimmt Mr Bloom, der Ankläger. Er kommt auch auf die französischen Soldaten zu sprechen. Er fragt, wann die Soldaten das Haus ihrer Schwiegereltern verlassen hätten. Sie sagt, nachdem ihr Mann verhaftet worden sei.

»Von dem Moment an, als Ihr Mann verhaftet wurde, wohnten die Soldaten nicht mehr in Ihrem Haus, ist das richtig?«

»Ja.«

Mr Bloom sieht sie von der Seite an. Dann schüttelt er demonstrativ den Kopf.

»Frau Šimić, spätestens in dem Moment müssen Sie doch realisiert haben, dass die Soldaten sechs Monate lang im Haus Ihrer Schwiegereltern lebten, weil sie den Auftrag hatten, Ihren Mann zu verhaften und möglichst viele Informationen über Ihren Neffen Marić herauszubekommen, dem, wie Sie wissen, vorgeworfen wird, das Haus angezündet zu haben.«

»Nein, wirklich nicht. Ich wusste über nichts Bescheid. Ich wusste nur, dass sie in unserem Haus wohnten, aber ich wusste nicht, warum sie in unserem Haus wohnten.«

»Sie sagten vorhin, als das Gespräch auf ihren Neffen kam: ›Ich habe gehört, dass er an Brandstiftungen beteiligt gewesen sein soll, aber ich weiß es nicht. Ich war nicht dort. Ich habe ihn nicht gesehen.‹ Darf ich Sie fragen, wann Sie zum ersten Mal gehört haben, dass Milan Marić an Brandstiftungen beteiligt war?«

»Ich weiß es nicht. Geschichten fingen an zu kursieren, und etwas stand in der Zeitung. Mein Schwager hat mir einen Artikel gezeigt, aber damals lebte ich schon in Belgrad.«

»Wir wissen von anderen Zeugenaussagen in diesem Prozess, dass viele Häuser in Brand gesetzt wurden. So, wie ich Sie vorhin verstanden habe, meinten Sie, dass bei dem Brand, von dem Sie sprachen, dem Brand in der Pionirska-Straße, auch Menschen starben. Ist das richtig?«

»Ich weiß nicht, wer gestorben ist.«

»Glauben Sie, dass bei diesem Brand, von dem Sie sprachen, Menschen umgekommen sind?«

»Ich habe später darüber in der Zeitung gelesen. Was anderes weiß ich nicht. Ich war nicht dort.«

»Ich möchte wissen, ob Sie glauben, es seien Menschen gestorben, oder nicht.«

»Ich vermute es. Ich habe aber keine Ahnung. Ich weiß es nicht.«

Sie fühlt sich bedrängt, das ist offensichtlich, der Tonfall ihrer Stimme hat sich verändert. Er ist abweisender geworden, gereizt und gleichzeitig verzweifelt. Vielleicht hat sie nicht damit gerechnet, dass ihre Aussage gegen ihren Mann verwendet werden könnte. Vielleicht ist ihr in Gegenwart der Richter und des Anklägers bewusst geworden, dass ihr Auftritt ihm nicht helfen wird.

Er glaubt ihr. Sie weiß nicht, ob Menschen gestorben sind, wahrscheinlich hat sie vom Tod der Hasanovićs gelesen; wenn schon der Name eines Verdächtigen in der Zeitung stand, dann mit Sicherheit auch, dass es Tote gab. Aber sie hat es vergessen, weil sie es nicht wissen wollte. Sie hat nicht nachgefragt. Sie wollte nicht wissen, ob ihr Mann an diesem Verbrechen beteiligt war, und als er verhaftet wurde, fragte sie nicht nach seiner Schuld. Vielleicht aus Angst, er könnte schuldig sein?

Er hat in den vergangenen Wochen so oft darüber nachgedacht, wie er sich an Anas Stelle verhalten würde. Es war so schwer, sich den eigenen Vater als Mörder oder Komplizen eines Mordes vorzustellen. Ein Mord, den er abstreitet. Wäre es nicht an ihm, dem Sohn, ihm zu glauben? Oder spürte man als Sohn, ob der Vater schuldig war oder nicht? Wer konnte vom Sohn oder der Tochter verlangen, nach Beweisen gegen den Vater zu suchen?

Mr Bloom lässt seinen Blick nicht von Anas Mutter.

»Wie oft im Jahr bekam er seine Trinkattacken?«

»Das war unterschiedlich. Manchmal trank er fünf oder sechs Monate keinen Alkohol, manchmal waren die Intervalle kürzer.«

»Zu den Zeiten, in denen er viel trank, war es da für Sie möglich, mit ihm zu argumentieren? Konnten Sie mit ihm über Dinge sprechen, die Ihre Tochter betrafen oder das Haus?«

»Warum? Ja, natürlich. Anfangs war es nicht einfach, ich meine, wenn er exzessiv trank, aber dann hörte er auf, und alles wurde wieder normal. Ja, wir konnten reden.«

»Hatten Sie jemals eine Auseinandersetzung mit ihm, während er betrunken war?«

»Nein.«

»Hat er jemals seine Tochter angeschrien, während er betrunken war?«

»Nein, er ist vernarrt in seine Tochter.«

»So, wie Sie uns das schildern, scheint das einzige Problem mit seinem Trinken gewesen zu sein, dass er zu essen aufhörte und an Gewicht verlor. Abgesehen davon gab es offenbar keine Auswirkungen auf die Familie, ist das richtig?«

»Ja, nur das. Es war schlecht für ihn, weil es seine Gesundheit angriff.«

»Frau Šimić, Sie haben vorhin erwähnt, dass Ihrem Mann der Anblick von verwundeten und verkrüppelten Menschen große Schwierigkeiten bereitet. Meine Frage hat mit seiner Rolle als Gastgeber zu tun. Wenn es etwas zu feiern gab und Sie ein Huhn, ein Lamm oder ein Schwein servierten, musste er es als Hausherr doch schlachten?«

»Es ist bei uns Sitte, dass bei solchen Gelegenheiten ein Lamm oder ein Schwein geschlachtet wird, aber Zlatko hat das nie gemacht. Er konnte das nicht. Wir mussten jedes Mal einen Nachbarn fragen. Ich erinnere mich, als die Soldaten in unserem Haus lebten und sie etwas zu feiern hatten und ein gegrilltes Lamm wollten, haben wir unseren Nachbarn gefragt, weil Zlatko es nicht übers Herz brachte, ein Huhn oder gar ein Lamm zu schlachten. Zlatko hat niemals ein Tier geschlachtet.«

»Wissen Sie, warum er es nie tat?«

»Er hatte eine Aversion dagegen. Er mochte es nicht. Allein die Vorstellung, ein Tier zu töten, hat ihn gequält.«

Šimić verfolgt den Auftritt seiner Frau regungslos. Im Anzug sitzt er da, ordentlich gekämmt, sehr aufrecht. Keine Reaktion, kein Anzeichen von Gefühlen, nur gespannte Aufmerksamkeit.

Die Menschen im Zuschauerraum fühlen sich offensichtlich unbehaglich. Die letzten Sätze von Frau Šimić haben eine Unruhe ausgelöst, die nicht zu übersehen ist; ein Mann in der Reihe vor ihm hat den Kopf gesenkt, ein anderer hat seinen Kopfhörer abgenommen, neben ihm wippt einer mit den Füßen, und eine Frau legt den Kopf in den Nacken und schließt die Augen.

Der Richter bittet Frau Šimić, den Saal zu verlassen. Sie schaut sich kurz hilfesuchend um und wird dann von einem

Saaldiener hinausbegleitet. Sie hat es sicher gut gemeint, aber jetzt wirkt sie unsicher. Kurz bevor sie den Raum verlässt, dreht sie sich um und sucht seinen Blick. Aber er blickt starr in den Raum. Und dann ruft der Richter den nächsten Zeugen.

Auf dem Rückweg von der Ostsee fuhr er von der Autobahn ab. Er wollte ihr die Müritz zeigen. Vor Jahren war er mal dort gewesen, als es ihm nicht gutging, weil ihm der Berliner Winter mit seiner ganzen Tristesse aus Nieselregen und schmutzig grauen Häuserfassaden auf der Seele lag. Er versuchte, sich an den Weg zu erinnern, den er damals gefahren war. Eine Baustelle zwang sie, von der Hauptstraße abzubiegen. Er folgte den Umleitungsschildern und glaubte sich zu erinnern. Aber dann hätte er doch fast die Straße verpasst, musste scharf bremsen, um abzubiegen. Danach merkte er erst, dass er einen Wagen hinter sich in Bedrängnis gebracht hatte. Er hob entschuldigend seine Hand.

Von weitem schon konnten sie die Müritz sehen. Der Name kam aus dem Slawischen, *morcze*, kleines Meer; das hatte er mal gelesen. Ana nahm ihre Füße vom Armaturenbrett. Oft hat er sich hinterher gefragt, warum er mit ihr an die Müritz gefahren war, und wünschte sich, er hätte es einfach nicht gemacht. Es war ein spontaner Entschluss, aus der Lust heraus, ihr etwas Schönes zu zeigen.

»Es wird dir gefallen«, sagte er, und im selben Moment hörte er das Aufheulen eines Motors. Im Rückspiegel sah er den blauen Golf mit dunklen Scheiben, das Auto, das er zuvor in seiner Unachtsamkeit zum Bremsen gebracht hatte. Es war dicht aufgefahren, dann ließ es sich zurückfallen, der Fahrer betätigte mehrfach die Lichthupe.

»Was ist?«, fragte Ana.

»Ein Spinner«, sagte er.

Sie drehte sich um. »Was will der?«, fragte sie.

»Uns ein bisschen Angst einjagen. Jetzt überholt er.«

Im Seitenspiegel sah er, wie der Wagen ausscherte. Als er auf gleicher Höhe war, öffnete sich das Beifahrerfenster, und sie konnten vorne zwei glatzköpfige Männer sehen. Das Auto beschleunigte und bremste dann vor ihnen ab. Er dachte kurz daran, auszuscheren und zu überholen, aber auf der Gegenspur kam ein Fahrzeug entgegen. Er musste anhalten.

»Was wollen die?«, fragte Ana und verschloss die Türen von innen.

Vier Männer stiegen einer nach dem anderen aus dem Auto. Sie trugen Stiefel, hochgekrempelte Jeans und Bomberjacken. Zwei blieben vor ihrem Auto stehen – einer auf seiner Seite, und einer stellte sich neben Anas Tür.

Er sah, wie Ana sich mit einer Hand am Türgriff festhielt. Der Kerl auf seiner Seite klopfte an die Scheibe. Er dachte daran, einfach aufs Gaspedal zu treten, aber das hieße, zwei von ihnen zu überfahren.

»Komm raus!«, sagte der, der ans Fenster geklopft hatte.

Er klammerte sich ans Lenkrad und starrte geradeaus. Er versuchte, ruhig zu atmen. Einer der beiden, die vor dem Auto standen, trat mit dem Fuß gegen die Stoßstange. Er holte tief Luft und wollte das Fenster öffnen, aber Ana rief: »Nein, mach das nicht!«

Er sagte: »Was soll ich denn machen?«

»Mach auf keinen Fall auf«, sagte sie.

Der Kerl schlug mit der flachen Hand aufs Dach, einmal, zweimal, dreimal. Dann beugte er sich runter und schaute ins Auto. Er starrte Ana an, dann ihn. »Ich muss was machen«, sagte er, »wir können hier nicht so rumsitzen.«

Ana sagte: »Fahr los. Fahr los, die werden schon wegspringen.« Natürlich hatte er Angst, wer hätte in einer solchen Situation keine Angst? Sie waren zu viert, und jeder Einzelne ihm körperlich überlegen. Er kurbelte sein Fenster herunter. Er sah, wie Ana die Augen schloss und sich mit der anderen Hand an den Sitz klammerte.

Der Glatzkopf sah ihn fragend an. Dann sagte er: »Du weißt, was du falsch gemacht hast?« Dann griff er ins Auto und öffnete die Tür von innen. »So«, sagte er, »jetzt steigst du mal aus.«

Ana hatte immer noch die Augen geschlossen. Was würde passieren, wenn er nicht ausstiege, einfach sitzen bliebe?

»Komm jetzt, steig aus«, die Stimme des Kerls wurde aggressiver.

Er stieg aus.

»So, und jetzt sagst du mal Entschuldigung.«

Er blickte ins Auto und sah, dass Ana ihn vom Beifahrersitz aus anschaute. Er hielt sich an der geöffneten Tür fest. »Es tut mir ...« Es war, als hätte er seine Stimme verschluckt, er räusperte sich. – »Es tut mir leid.«

»Was tut dir leid?«, fragte der Glatzkopf und sah seine Kumpel an. Er spürte, wie ihm heiß wurde im Gesicht. Er sah die Straße entlang, in der Hoffnung, es käme noch ein Auto. Dann sagte er: »Es tut mir leid, dass ich euch ausgebremst habe.«

Der Kerl in dieser Bomberjacke und den Stiefeln musterte ihn. Er kann sich noch genau an dessen Blick erinnern. Er hatte dunkle Augen. Er weiß noch, dass er dachte: Die dunklen Augen passen nicht. Der Blick ließ ihn nicht los, für einen Moment dachte er, eine Spur von Melancholie in ihnen zu sehen, im nächsten Moment aber war es der Blick eines Überlegenen mit all seiner Kälte.

»Woher kommst du?« fragte er.

»Aus Berlin.«

»Ich meine, bist du Deutscher?«

»Wieso fragst du?«

»Du siehst aus wie ein Spaghetti oder Jugo oder so.«

Er blickte kurz zu Ana. Dann sagte er: »Ich bin Deutscher.«

Der Kerl schien zu überlegen, dann sah er seine Kumpel an, nickte ihnen zu, und sie gingen zurück zu ihrem Auto.

Nach einer Weile, als der Golf schon außer Sichtweite war, stieg er wieder ein. »Es tut mir leid«, sagte er, ohne Ana anzuschauen.

Sie sagte: »Du hättest nicht öffnen sollen.«

Der Zeuge, der gerufen wird, nachdem Anas Mutter den Gerichtssaal verlassen hat, ist ein Mann. Er ist froh, dass es nicht Ana ist, die durch die Tür tritt. Er weiß nicht, wer der Mann ist, es ist ihm auch egal, er nimmt den Kopfhörer ab und verlässt seinen Platz im Zuschauerraum.

Er geht zum Strand und setzt sich in eines der vielen Cafés. Er setzt sich so, dass er über das Meer blicken kann, und bestellt sich Tee. Er bleibt dort sitzen, bis es dunkel wird.

Als er aufbricht, fragt er die Bedienung nach dem Weg zum Gefängnis. Sie zuckt mit den Achseln. Die ganze Welt kennt das Gefängnis von Scheveningen, den Ort, an dem die Kriegsverbrecher einsitzen. »Es muss hier in der Nähe sein«, sagt er. »Kann sein«, sagt sie, »ich weiß es nicht.« Er schätzt sie auf Anfang zwanzig. »Hast du schon mal vom Tribunal gehört?« Sie räumt seine Tasse auf das Tablett. »Ich habe davon gehört.« Sie sieht ihn kurz an. »Noch etwas?«, fragt sie. Er schüttelt den Kopf.

Es ist kälter geworden, obwohl der Wind nachgelassen hat.

Er lässt sich an der Rezeption eines Hotels den Weg erklären. Der Mann mustert ihn kurz. »Sie meinen die United Nations Detention Unit?« Er nickt. Der Mann nennt ein paar Namen von Straßen, wiederholt sie in derselben Reihenfolge, Gevers Deynootweg, Zwolsestraat. Er könne auch den Bus nehmen, hat der Mann gesagt. Aber ihm ist nach Laufen. Die erste links, und irgendwann wird er auf einen Park treffen, den er durchqueren muss. Er fragt sich, ob er sich nicht besser bei Tageslicht auf den Weg machen sollte, und geht dann doch weiter, in der Hoffnung, dass die Richtung stimmt.

Er muss noch zwei weitere Male fragen, bis er vor dem Gefängnis steht. Hohe Backsteinmauern. Es könnte auch eine Burg sein. Mauern als Schutz vor der Außenwelt.

In einem Buch über das Tribunal hat er gelesen, dass die angeklagten Kriegsverbrecher hinter den Mauern sich eine eigene Welt geschaffen haben. Eine Welt ohne ethnische Konflikte, in der Serben, Kroaten und Muslime zusammen kochen, Spiele spielen und den Familienangehörigen des anderen zum Geburtstag Karten schreiben. Eine Gemeinschaft aus Männern, die Krieg gegeneinander geführt und Menschen ihrer ethnischen Zugehörigkeit wegen massakriert haben und die dazu beigetragen haben, dass so viele Menschen kein Zueinander mehr finden. Als wollten diese Männer all das Leid ihrer Opfer verhöhnen, leben sie ihnen jetzt das Miteinander vor.

Irgendwo in diesem Gebäude hat Šimić seine Zelle. Fünfzehn Quadratmeter mit Dusche, Toilette, Waschbecken und einem Tisch. Er darf einen Computer nutzen, kommt aber nicht ins Internet. Es gibt Fernsehen in seiner Muttersprache, eine Bücherei und Kurse in Kunst, Sprachen oder Naturwissenschaften. Vielleicht sitzt er gerade mit den anderen in der Küche und isst zu Abend. Oder er liest.

Zum ersten Mal kommt ihm der Gedanke, dass Ana in der Woche, in der sie unterwegs war, ihren Vater besucht hat. Es war die Woche, nachdem sie am Meer waren. Sie hatte ihm nicht erzählt, dass sie wegfahren werde. Erst als er sie fragte, ob sie Lust habe, mit ihm zum Geburtstag eines Freundes zu gehen, sagte sie, sie sei nicht da. Er fragte, wo sie sei. Und sie sagte, sie werde für einige Tage nach Belgrad reisen. Es hatte ihn enttäuscht, dass sie ihm nichts von ihrer bevorstehenden Reise erzählt hatte. Er sagte, dass er sie hätte begleiten können, wenn sie ihm früher davon erzählt hätte.

Er stellt sich vor, an das Tor zu treten und zu sagen, er habe sich in die Tochter eines der Insassen verliebt und wolle ihn, den Vater, kennenlernen. Vielleicht könnte er ihm einen Brief schreiben und am Tor für ihn abgeben. Aber was sollte er schreiben?

Herr Šimić, Sie kennen mich nicht. Ich weiß nicht mal, ob Sie wissen, dass es mich gibt. Vielleicht hat Ana Ihnen von mir erzählt. Ich habe Ana in Berlin kennengelernt. Es war Februar, als ich mich in sie verliebt habe. Ich wusste noch nicht, wessen Tochter sie ist.

Sie hat mir viel von Ihnen erzählt, Sie haben ihr Shakespeare vorgelesen, Sie sind mit ihr im Sommer an den Ufern der Drina entlangspaziert, Sie haben ihr das Angeln beigebracht und ihr gezeigt, wie man einen Fisch tötet. Sie haben ihr Platten vorgespielt, von Coltrane und Armstrong, was dazu geführt hat, dass sie unbedingt Trompete lernen wollte. Sie kauften ihr eine Trompete, und sie spielte im Keller Ihres Hauses.

Wenn Ana von Ihnen erzählt hat, dann nur Gutes. Es gab Momente, ich kann es nicht leugnen, in denen ich mir Sie als

Vater gewünscht habe. Ich habe mir den Tag ausgemalt, an dem ich Ihnen zum ersten Mal begegnen würde.

Wissen Sie, dass ein Foto von Ihnen an der Wand neben Anas Schreibtisch hängt? Es ist nicht schwer zu erkennen, dass Ana Ihre Tochter ist, Sie haben die gleichen Augen.

Ich weiß nicht, ob Sie mich im Gerichtssaal gesehen haben, und selbst wenn Sie mich gesehen haben, wie sollten Sie wissen, wer ich bin? Ich denke nicht, dass Ana Ihnen ein Foto von mir gezeigt hat. Ich saß im Zuschauerraum, während Ihnen der Prozess gemacht wurde.

Als ich gehört habe, was Ihnen vorgeworfen wird, habe ich mir gewünscht, dass nicht Sie, der Mann im dunklen Anzug, der mit seiner Krawatte spielt, während eine Frau schildert, wie ihre Familie verbrannte ... dass nicht Sie Anas Vater sind. Aber ich habe Ihre Augen gesehen.

Ehrlich gesagt, weiß ich nicht, warum ich Ihnen schreibe. In der Hoffnung, es könnte sich alles als Missverständnis herausstellen und dass Sie zum besagten Zeitpunkt gar nicht auf der Brücke waren? Ich weiß nicht, ob ich Sie gern kennenlernen würde. Ich hätte Angst vor einer Begegnung mit Ihnen.

Ich habe Ana seit Wochen nicht mehr gesehen. Es liegt an Ihnen, Sie sind zwischen uns geraten. Aber immer noch denke ich ständig an Ana. Warum ich Ihnen schreibe? Vielleicht, weil ich wissen möchte, ob sich Ana in Ihnen täuscht.

Er friert. Er beschließt, mit dem Bus zurückzufahren. Er fragt sich, was er sich davon erhofft hat, das Gefängnis zu sehen. Er weiß es nicht. Aber dann öffnet sich die Tür, heraus kommt eine einzelne Person. In der matten Beleuchtung sieht er, dass sie einen Mantel trägt. Sie kommt auf ihn zu. Eine kleine Frau, den Blick auf den Boden vor sich gerichtet. Als sie die Straße überquert und nur wenige Meter von ihm entfernt ist, erkennt er sie; eigentlich hat er sie sofort erkannt.

Sie sind die Einzigen an der Haltestelle, ihre Blicke treffen sich kurz. Sie setzt sich auf die Bank und legt ihre Hände in den Schoß. Er kann kaum seinen Blick von ihr lassen. Der Schein der Straßenlaterne gibt ihr etwas Fahles. Aus der Nähe betrachtet, ist sie jünger, als sie ihm im Gerichtssaal erschienen ist. Er sieht ihre Hände, Anas Hände, diese zarten Finger, so blass und zerbrechlich. Der Rest des Körpers ist anders als Anas. Sie ist kleiner, rundlicher, viel kräftiger. Ihre Stille ist eine andere, unruhiger.

Dann ist der Bus zu hören, die Scheinwerfer erleuchten die Haltestelle. Sie setzt sich in eine der hinteren Reihen, bleibt am Gang sitzen. Er geht an ihr vorbei, aber sie sieht ihn nicht. Er setzt sich zwei Reihen hinter sie.

Sie muss diese Stadt hassen, denkt er, und alles, was zu dieser Stadt gehört. Diesen Bus, die Häuser, an denen sie vorbeifährt, die Menschen, die hier leben. Diese Stadt hat ihr den Mann genommen und wird ihn vielleicht nicht mehr hergeben. Er weiß nicht, mit welchen Strafen Männer wie Šimić rechnen müssen, zehn Jahre, fünfzehn Jahre, vielleicht wird er den Rest seines Lebens in Haft verbringen. Er sieht, wie sie sich in der Kurve mit einer Hand am Sitz vor ihr festhält. Sie trägt einen Ring.

»Frau Šimić, können Sie uns sagen, wann Sie geheiratet haben?«

»Vor fünfunddreißig Jahren. Dieses Jahr ist es fünfunddreißig Jahre her. Es war am 12. Februar 1970.«

»Können Sie uns sagen, wann Ihre Kinder geboren wurden?«

»Milan, unser Sohn, wurde am 23. November 1972 geboren, Ana, unsere Tochter, am 15. Juni 1980.«

»Würden Sie sagen, Sie hatten eine glückliche Ehe?«

»Ja.«

»Bis heute?«

»Ja.«

Der Bus fährt durch die halbe Stadt. Er weiß nicht, wohin ihn diese Fahrt bringen wird.

»Meine Mutter? Meine Mutter hat sich um das Haus gekümmert, sie hat gekocht, gewaschen, geputzt, anfangs hatte sie einen kleinen Laden, den sie später aber aufgegeben hat. Ob ich was von meiner Mutter habe? Jeder hat was von seiner Mutter. Du willst wissen, was? Warum interessiert dich das?

»Du hast kein Foto von ihr an der Wand.«

»Was willst du mir damit sagen?«

»Es fällt mir nur auf.«

Er erinnert sich, dass Ana erzählte, ihre Mutter und sie hätten während der Fahrt im Bus kaum miteinander gesprochen. Überhaupt sei es sehr still gewesen im Bus, in dem nur Frauen und Kinder saßen. Die Mutter habe eine Plastiktüte auf dem Schoß gehabt, eine dieser weißen Einkaufstüten, in denen sie sonst das Brot nach Hause gebracht habe. Erst später hat Ana erfahren, dass sie Erde in der Tüte hatte, Erde aus ihrem Garten.

Er könnte sie so vieles fragen. Was macht Ana? Wie geht es ihr? Wo ist sie? Vielleicht könnten sie sich in ein Café setzen und miteinander sprechen. Stattdessen starrt er aus dem Fenster, auf Häuser und parkende Autos.

Sie ist schon draußen, als er aufspringt und mit schnellen Schritten zur Tür läuft und aussteigt, bevor diese sich wieder schließt. Was soll er machen?

Außer ihnen ist niemand auf der Straße. »Mrs Šimić.« Er braucht zwei Versuche, um seiner Stimme genug Kraft zu geben. Sie bleibt stehen und dreht sich um. Sie sieht ihn an. Er kommt näher, bis er ein, zwei Schritte von ihr entfernt ist.

»Mrs Šimić«, sagt er.

Sie sieht ihn nur fragend an. »Ich bin ein Freund von Ana«, sagt er.

Sie sieht ihn immer noch an, aber als er »Ana« sagt, nickt sie.

»Ich habe sie in Berlin kennengelernt.« Sie zuckt mit den Schultern, und jetzt erst wird ihm bewusst, dass sie sein Englisch nicht versteht. »Ana«, sagt er.

Sie nickt wieder.

»Ana, *fine?*«, fragt er. »*Dobro?*«

Sie nickt. Dann sieht sie sich um. Sie sagt etwas, das er nicht versteht. Sie deutet an, dass sie weitermuss. Sie dreht sich um und geht, erst zögernd, dann entschlossen. Er bleibt eine Weile stehen und sieht ihr nach.

»Meine Mutter konnte nichts dafür, dass ich in diesem Bus sitzen musste. Sie wollte auch nicht in diesem Bus sitzen.«

Am Tag vor ihrem Geburtstag hatte er eine Honigtorte nach einem serbischen Rezept gebacken, das er in einem Kochbuch gefunden hatte. Auf dem Foto sah die Torte so schön verspielt aus, mit Blumen aus Eischnee. Weil es seine erste Torte war, hatte er den Aufwand unterschätzt.

Es war schon damit losgegangen, dass er nicht wusste, was ein Bain Marie war, in dem er die Eier verrühren sollte. Das Wasserbad durfte nicht zu heiß sein, damit die Eier nicht geronnen. Aus dem Teig musste er sechs gleich große Böden ausrollen, die auch noch gleich dünn sein sollten. Auf fünf der

Böden sollte er die Sahnefüllung verteilen und den sechsten sozusagen als Deckel obendrauf legen. Er musste gleichzeitig das Eiweiß schlagen und den Zuckersirup angießen. »Wenn das Eiweiß mit dem heißen Sirup in Berührung kommt, pufft es auf«, stand im Rezept, bei ihm aber puffte nichts auf. Und auch der Eischnee wurde nicht fest. In seiner Verzweiflung stellte er ihn ins Eisfach. Er rief seinen Vater an und bat ihn, seine Schwester in Karlovac anzurufen und sie um Rat zu fragen. Er ärgerte sich, dass er die Sprache nicht sprach.

Nach Stunden hatte er eine Torte fertig, die kaum Ähnlichkeit mit der Abbildung im Kochbuch hatte. Er hoffte, Ana würde sie trotzdem als Honigtorte erkennen oder zumindest merken, wie viel Mühe in diesem Gebilde steckte.

Am Abend dann waren sie tanzen. Sie jedenfalls tanzte. Er lehnte die meiste Zeit neben der Tanzfläche an der Bar und sah ihr zu, wie sie sich am Alkohol und an der Musik berauschte, in der Menge aus Tanzenden aufging. Er wünschte, ihm fiele die Ablenkung so leicht wie ihr. Um Mitternacht standen sie beide an der Bar und stießen auf ihren Geburtstag an. Es war die Nacht vom 14. auf den 15. Juni, und viel, viel später erst wurde ihm bewusst, um welch schicksalhaftes Datum es sich handelte: In jener Nacht, sechzehn Jahre zuvor, verbrannte die Familie Hasanović. Er fragte sich, ob das ein Zufall war, ein unglückseliger. Es musste ein Zufall sein. Was für einen Zusammenhang sollte es zwischen Anas Geburtstag und diesem teuflischen Verbrechen geben? Keinen. Trotzdem kommt es ihm im Nachhinein ungebührlich vor, dass sie in jener Nacht mit Champagner angestoßen haben.

Sie schlief noch, als er leise aufgestanden und in die Küche gegangen war. Er holte die Honigtorte aus dem Kühlschrank. Er hatte versucht, sie mit achtundzwanzig Blüten aus Eischnee zu verzieren. Er breitete ein weißes Bettlaken vor dem Bett aus, stellte die Torte darauf, legte ein Messer dazu und das Geschenk, das die Größe eines Schmuckkästchens hatte.

Sie schlief mit dem Gesicht auf ihrer Hand. Selbst im Schlaf schien es, als verstecke sie ihre Zehen, einer war hinter den anderen gequetscht. Er zählte ihre Sommersprossen im Gesicht und suchte die kleine auf der unteren Lippe.

Als er das erste Mal neben ihr aufgewacht war, hatte er sie gefragt, ob er sich eine aussuchen dürfe, und wählte die auf ihrer Lippe, fragte, was »Sommersprosse« heiße. An »Sommer« konnte er sich noch erinnern, *leto,* aber »Sommersprosse«? »*Pega*«, sagte sie, »*pega.*« Er hat das Wort behalten. Er hat alle Wörter behalten, die sie ihm beigebracht hat. Was »Liebe« heißt, weiß er mittlerweile auch, *ljubav.* Er hatte sie gefragt, und sie hatte gesagt: »Du weißt nicht, was ›Liebe‹ heißt?«, und ungläubig den Kopf geschüttelt.

Sie fing an zu blinzeln. Dann drehte sie sich auf den Rücken, öffnete die Augen, und als sie zu sich gekommen war, sagte er: »*Happy birthday.*«

Sie stützte sich auf. »Eine Torte«, sagte sie.

»Erkennst du sie?«

Sie musterte die Torte.

Und er sagte: »Eine echte serbische Honigtorte.«

»Die habe ich aber anders in Erinnerung«, sagte sie und formte ihre Lippen zu einem Kuss.

»Willst du ein Stück?«

Sie nickte. Er nahm das Messer und schnitt die Torte an.

»Und was ist das?«, fragte sie und zeigte auf das Geschenk. »Das?«, sagte er, »sieht aus wie ein Geschenk.«

Er nahm das Kästchen in die Hand, überreichte es ihr und setzte sich neben sie auf das Bett.

Sie richtete sich ganz auf, betrachtete das Geschenk von allen Seiten, schüttelte es und sagte: »Ich komm nicht drauf.«

»Da kannst du auch nicht drauf kommen«, sagte er.

Sie löste das Papier, legte sich dann das kleine Kästchen auf die Handfläche und öffnete den Deckel. »Was ist das?«, fragte sie und hielt einen kleinen, runden Stein zwischen den Fingern.

»Riech mal dran«, sagte er, »vielleicht erinnert dich der Geruch.«

Sie hielt sich den Stein unter die Nase und schüttelte den Kopf.

»Dieser Stein«, sagte er, »ist nicht irgendein Stein. Es hat mich eine Menge Mühe, viele Telefonate und jede Menge Verständigungsschwierigkeiten gekostet, ihn zu beschaffen. Dieser Stein« – er hielt inne und sah ihr in die Augen –, »dieser Stein ist aus der Bucht von Lumbarda.«

Sie schien immer noch nicht zu verstehen.

»Ana«, sagte er, »ich möchte mit dir nach Lumbarda fahren und dir die Reise schenken.«

Sie betrachtete den Stein, dann schloss sie ihn in ihre Hand.

Er sah ihr Gesicht im Profil. Ihren Nasenrücken, so geradlinig, die hohen Wangenknochen, die Lippen geschlossen.

Nach drei Atemzügen drehte sie sich zu ihm und fragte: »Wann?«

Er sieht, wie sich hinter der Scheibe alle erheben und die Richter nacheinander den Saal verlassen. Auch die anderen Zuschauer haben schon fast alle den Raum verlassen, und der Wachmann wirft ihm einen mahnenden Blick zu. Er entschuldigt sich und gibt den Kopfhörer ab.

Er überlegt, was er machen soll. Er ist sich unschlüssig, ob er nach der Mittagspause den Prozess weiterverfolgen oder ob er gehen soll. Er steht noch in Gedanken im Foyer herum, als er merkt, dass jemand mit ihm spricht. Eine junge Frau mit kurzen dunklen Haaren steht vor ihm. Sie könnte so alt sein wie er.

Auf Englisch fragt sie ihn, ob er nicht schon gestern hier gewesen sei, ob er den Prozess gegen Šimić verfolge. Er nickt und überlegt, ob er sie gesehen hat. Er kann sich aber nicht an sie erinnern, wahrscheinlich saß sie in einer der Reihen hinter ihm.

»Ich heiße Aisha«, sagt sie und gibt ihm die Hand. Sie bietet ihm eine Zigarette an, aber er lehnt ab. Sie fragt ihn, woher er komme, und er sagt, er sei aus Berlin. »Oh«, sagt sie, »dann können wir auch Deutsch sprechen. Wollen wir rausgehen? Ich brauche etwas frische Luft.«

Er hält ihr die Tür auf. Dann steigen sie die paar Stufen hinab und stehen im Freien. Einige der anderen Besucher verlassen das Gelände, vermutlich um Mittag zu essen.

»Wieso bist du hier?«, fragt sie.

»Ich wollte mal sehen, wie so ein Prozess abläuft.«

»Studierst du Jura?«

»Nein.«

»Ich habe das Gefühl, die Meisten, die hier sitzen, sind Jurastudenten.«

»Bist du von Anfang an dabei?«

»Ja.« Sie sieht ihn an. »Und du?« fragt sie.

»Ich war in der ersten Prozesswoche da und seit vorgestern wieder.«

»Warum hast du dir diesen Prozess ausgesucht?«

Er sieht, wie sie sich eine Zigarette ansteckt und mit einer Hand den Kragen ihrer Bluse ein wenig hochzieht, um die Flamme vor dem Wind zu schützen.

»Es ist Zufall. Es hätte auch ein anderer Prozess sein können.«

Es ist offensichtlich, dass sie anfängt zu frieren. Sie reibt sich mit den Händen die Schultern. Er fragt, ob sie wieder hineingehen wolle. Sie sieht sich um. Dann fragt sie, ob sie nicht zusammen etwas essen gehen wollten.

Sie holen ihre Jacken aus den Schließfächern. Sie zieht sich eine Strickmütze über die Haare und steckt die Hände in die Taschen.

Nachdem sie etwas planlos durch die Straßen gelaufen sind, finden sie ein kleines chinesisches Restaurant. Die Kellnerin führt sie an den einzigen freien Tisch, neben ihnen ein Aquarium, in dem bunte, phosphoreszierende Fische schwimmen. Am nächsten Tisch sitzt ein Mann im Anzug, eine Zeitung mit chinesischen Schriftzeichen vor sich, sein Gesicht tief über das Schälchen gebeugt. Aisha holt die Packung Zigaretten aus ihrer Tasche und legt sie mitsamt Feuerzeug auf den Tisch. »Berlin ist toll«, sagt sie. »Ich war einmal dort, das ist schon Jahre her. Eine Tante von mir lebt da, in Kreuzberg.«

»Wie lange warst du in Deutschland?«

»Sieben Jahre, von 1992 bis 1999.«

»Und dann?«

»Sind wir wieder zurück nach Bosnien, meine Schwester und ich wären gern geblieben, aber meine Eltern haben sich nicht wohlgefühlt. Wir haben in einem Flüchtlingsheim gelebt, ein Zimmer zu viert, mein Vater hat keine Arbeit gefunden, und meine Mutter hat geputzt. In Bosnien hatten wir ein eigenes Haus, mein Vater war Lehrer, und meine Mutter hatte einen kleinen Laden. Sie haben sich nie an das Leben in Deutschland gewöhnt.«

»Wo lebt ihr jetzt?«

»Wir leben in Sarajevo, beziehungsweise meine Eltern leben dort, ich bin gerade für ein Jahr in London.«

Aisha nimmt den Teelöffel und tunkt den Teebeutel unter Wasser. Als sie ihn loslässt, treibt er wieder an die Oberfläche.

»Warst du mal in Bosnien?«, fragt sie.

»Nein.«

»Bosnien ist ein wunderschönes Land, mit Bergen und Hochebenen, vielen Flüssen und Schluchten. Die Wenigsten wissen das.«

Unter einem Stein kommt ein schlangenförmiger Fisch hervor, grau mit schwarzen Flecken, er schlängelt sich erst über den feinen Kies und steigt dann hinauf. Die Kellnerin stellt ihnen die Teller auf den Tisch, dazu eine Warmhalteplatte.

Sie gibt jedem zwei Löffel Reis auf den Teller. Er nickt dankend.

Der schlangenartige Fisch ist verschwunden. Er sieht ihn nicht mehr. Wahrscheinlich ist er wieder in seiner kleinen Höhle unter dem Stein.

»Ich habe noch nicht ganz verstanden, warum du hier bist«, sagt sie.

Er führt das Glas zum Mund und trinkt einen Schluck. Dann sagt er: »Die Familie meines Vaters kommt aus Karlovac. Sie war dort, als der Krieg ausbrach. Ich habe mich damals nicht für den Krieg interessiert.«

»Hast du ein schlechtes Gewissen?«

»Nein. Vielleicht. Ich weiß es nicht.«

Er sieht ihr dabei zu, wie sie die Gabel zum Mund führt, einen Moment zögert, bis sie den Mund öffnet, und dann langsam kaut.

»Kannst du dir vorstellen, dass Šimić unschuldig ist?«, fragt er.

Sie legt die Gabel auf den Teller, richtet ihren Körper auf und sieht ihn an. »Fragst du das ernsthaft?«

»Vor Gericht ist jeder unschuldig, bis ihm die Schuld nachgewiesen wird. Es könnte doch sein, dass er …«

»Šimić ist ein Schwein, ein Verbrecher, er hat vorsätzlich Menschen in den Tod geführt. Er ist schuldig, so wie viele andere auch, die nicht vor Gericht stehen, die jetzt dort leben, in Häusern, deren Bewohner sie vertrieben oder getötet haben. Selbst wenn das Gericht Šimić keine Schuld nachweisen könnte, was absurd wäre, ist er schuldig. Er weiß das, und alle, die dabei waren, wissen das. Für dich ist es vielleicht ein Prozess, ein juristischer Prozess, der seine Regeln hat, nach denen er auch kein Verbrecher ist, sondern ein mutmaßlicher Verbrecher. Was heißt eigentlich ›mutmaßlich‹ genau? Vermutlich? Ein vermutlicher Verbrecher? Auch all die anderen, die Schlimmeren, wenn es solch eine Steigerung gibt, der Schlimmste von allen, schlimmer als der andere – weißt du, wie schlimm ich das finde? Da werden Tote aufgezählt und miteinander verglichen, wie ein Wettbewerb, der hat drei umgebracht, der hundert und der Schlimmste von allen hunderttausend. Du gibst diesen Männern in ihrer Welt noch einen Maßstab dafür, sie können untereinander prahlen und ihren eigenen Status in dieser perversen Hierarchie verbessern. Der Vergleich funktioniert immer von oben, Karadžić war der Schlimmste, vielleicht noch Milošević, dann Mladić, und dann stellst du fest, dass Šimić nur Nummer einhundertundvierzig ist in dieser Reihenfolge. Er hat ja nicht mal eigenhändig getötet. Und dann sind sie auch alle nur mutmaßliche Verbrecher, bis diese drei Richter entscheiden, dass sie schuldig sind. Weißt du, wie absurd das ist? Was haben diese drei Richter erlebt? Wo waren sie, als Hunderttausende aus ihren Häusern vertrieben wurden, als Menschen ermordet wurden, Kinder und Schwangere, als das Leben all derjenigen zerstört wurde, die körperlich überlebt, aber ihre Heimat verloren haben, ihre Familien, Freunde, ihren Glauben, ein Leben in Fröhlichkeit? Diese Männer haben vor ihrem Fernseher gesessen, vielleicht hat es sie interessiert, vielleicht auch nicht, und jetzt sitzen sie in diesem Saal und entscheiden, ob die Menschen, die das alles zu verantworten haben, schuldig sind und bestraft werden oder nicht. Im Zweifel für den Angeklagten, so heißt es doch? Und vielleicht reicht am Ende der Eintrag in ein Krankenhausbuch, in dem steht, dass ein Zlatko Šimić während der Tatzeit in irgendeinem Krankenhaus aufgenommen wurde. Weil dieser Eintrag auf einem Papier steht, ein Fakt ist, im Gegensatz zu den Aussagen und Erinnerungen von Menschen, die subjektiv sind, von Emotionen geleitet und nicht überprüfbar, weil sie sich Uhrzeit und Datum nicht gemerkt haben oder mit den Tagen durcheinanderkommen. Kannst du deine Erinnerungen nach Tagen ordnen? Es gibt genügend Menschen, die wissen nicht mal, an welchem Tag ihre Eltern gestorben sind. Weißt du, was ich nicht verstehen kann? Warum darf das, was diese Zeugen aussagen, in Zweifel gezogen werden? Warum dürfen sie die Menschen vor den Augen aller anderen verunsichern? ›Waren Sie sicher, dass drei Männer anwesend waren?‹ ›Oder waren es vielleicht doch nur zwei? Sie sagten aber, er trug einen schwarzen Hut, jetzt ist der Hut dunkelbraun.‹ Ist das nicht egal, welche Farbe der Hut hatte? Diese Menschen haben miterlebt, wie vor ihren Augen Frauen und Kinder ermordet wurden, sie haben das Schreien gehört und Todesangst gehabt, und dann sollen sie noch sagen können, ob der Hut schwarz oder braun war. Und von solchen Details hängt am Ende vielleicht ab, ob jemand wie Šimić schuldig war oder nicht. Das ist in meinen Augen zynisch.«

Er stochert mit seiner Gabel im Reis herum, es fällt ihm schwer, sie anzusehen. Er hat den Eindruck, dass die Anspannung aus ihrem Körper gewichen ist, sie sitzt nicht mehr so gerade auf dem Stuhl, lässt die Schultern hängen. Als er sie ansieht, starrt sie wie abwesend ins Aquarium.

Er sieht, wie der schlangenförmige Fisch aus seiner Höhle kommt, ein Stück, dann bleibt er regungslos auf dem Kies liegen. Er erträgt dieses Verharren nicht, er will, dass sich der Fisch bewegt, er weiß auch nicht, warum, aber er kann nicht mitansehen, wie dieser seltsame Fisch da liegt und sich tot stellt. Er beobachtet ihn, er versucht, in Blickkontakt mit dem Fisch zu treten, aber er weiß gar nicht, ob das mit einem Fisch geht, ob ein Fisch die Welt optisch wahrnimmt, insbesondere die Welt hinter Glas, außerhalb seines Aquariums. Vielleicht sieht er alles, was dahinterliegt, verschwommen. Vielleicht muss er gegen das Glas klopfen, vielleicht löst das Vibrationen aus, die der Fisch empfängt. Aber auch auf sein Klopfen reagiert er nicht. Er hämmert ein paarmal mit dem Knöchel des Zeigefingers gegen das Glas, aber der Fisch rührt sich nicht. Erst als er Aishas Blick wahrnimmt, wie sie ihn etwas irritiert anschaut, ist ihm die Situation unangenehm. Was denkt sie? Dass ihn nicht interessiert, was sie sagt?

Sie sieht auf die Uhr. »Sie haben schon angefangen, wir sollten los.« Sie gibt der Kellnerin ein Zeichen.

Der Zuschauerraum ist zur Hälfte gefüllt. Aisha setzt sich in eine der hinteren Reihen. Sie setzt sich sofort den Kopfhörer auf, während er die Stille im Raum in sich aufnimmt, hin und wieder ein Husten, ein Räuspern und dazu dieses monotone Rauschen aus den Kopfhörern. Er betrachtet Aisha, die neben ihm sitzt. Merkwürdig gerade, fast ein wenig steif, die Hände auf die Oberschenkel gelegt, sieht sie wie gebannt durch die Scheibe. Ihm scheint, als halte sie sogar die Luft an, so starr sieht sie geradeaus.

Sie ist so anders als Ana. Kleiner, das Gesicht so viel voller, runder, die Konturen weniger fein, nur die dunklen Haare ähneln sich und die Strähnen, die Halt finden hinter dem Ohr. Obwohl sie starr dasitzt, ist ihr die Unruhe anzumerken, ein feines, leichtes Beben irgendwo im Innern, das sich in Wellen durch den Körper zieht, als müsste sie nur den Mund öffnen, um die Anspannung weichen zu lassen. Er befürchtet, dass sie sich im nächsten Moment ihm zuwendet, ihn ansieht und fragt, warum er sie so ansehe. Was das solle? Aber er ist sicher nicht der Grund für die Unruhe, vielleicht ist es der Ort, der dieses Beben auslöst, vielleicht verbindet sie irgendetwas Persönliches mit dem Prozess.

Zum ersten Mal fragt er sich, woher Ana diese innere Ruhe hatte, die ihn schon bei der ersten Begegnung im Theater so faszinierte. Diesen inneren Frieden, wie er dachte. Die Erinnerung an die lesende Ana verwirrt ihn, ein Bild der Stille. Es passte nicht. Oder war es am Ende kein Frieden, sondern Müdigkeit? Hatte er sie in einem Moment größter Müdigkeit zum ersten Mal gesehen?

Er erinnert sich, dass er sie gefragt hat, ob sie damals, als die Bomben auf Belgrad fielen, daran gedacht habe, die Stadt zu verlassen. Sie sagte: »Das fragt mich jeder hier. Ich hätte Belgrad verlassen können, ja, aber ich hatte keine Lust. Das klingt vielleicht merkwürdig, aber es war so. Zu der Zeit in Belgrad zu leben war nicht ungefährlich, aber ich war müde, vielleicht ist es das, was es am besten trifft, ich war einfach müde, und ich dachte immer, das kann nicht allzu lange dauern, sonst wird es uns nicht mehr geben.«

Aisha sieht ihn an, er nimmt es nicht gleich wahr, aber sie hat ihm den Kopf zugewandt und sieht ihn an. Sie sagt nichts. Und er weiß nicht, was er sagen soll. Sie sehen sich für einen Moment an, dann löst sie ihren Blick und starrt wieder durch die Scheibe in den Gerichtssaal.

Zum ersten Mal stellt er sich vor, Ana säße neben ihm, hier in diesem Raum. Auf einmal kann er sich das vorstellen. Er wäre einen Schritt hinter ihr die Treppe hochgestiegen, er hätte ihren Kopfhörer in Empfang genommen und ihn ihr gegeben. Dann hätte er auf eine Reihe gezeigt, in der noch einige Stühle frei waren, ihr eine Hand auf die Schulter gelegt und sie sanft in die Reihe geschoben. Er hätte ihr zugesehen, wie sie den Kopfhörer aufgesetzt hätte, und dann hätte er neben ihr gesessen und alles mit ihr zusammen erlebt. Er fragt sich, ob sie ihrem Vater innerlich beistehen würde oder ob sie wütend wäre auf ihn. Er weiß es nicht. Und doch wüsste er es so gern. Er fragt sich, ob er sie berühren könnte. Vielleicht könnte er seine Hand auf ihre legen, ganz leicht, ohne Druck, dass sie nicht viel mehr spürt als seine Wärme, seine Anwesenheit. Er würde ihr zeigen, dass er bei ihr war, ihr beistand. Er hätte ihr keinen Mut zusprechen können, er hätte nicht sagen können, dass ihr Vater zu Unrecht hinter der Scheibe sitze, dass ihr Vater bestimmt ein liebenswürdiger Mann sei, dass er ihm, so wie er da saß, all das nicht zutrauen würde, er hätte nicht so tun können, als glaubte er an dessen Unschuld.

Glaubte sie an die Unschuld ihres Vaters? Welchen Grund hätte sie haben können, mit ihm nach Den Haag zu fahren? Die Wahrheit zu erfahren? Würde sie glauben, was die Zeugen über ihren Vater sagen? Wie viel wusste sie überhaupt von all dem, was damals in Višegrad passiert war?

Wenn er sich sie hier vorstellt, hier nebeneinandersitzend, dann sieht er sie beide schweigen. Und auch später, wenn sie wieder auf der Straße stünden, redeten sie über anderes. Vielleicht könnte er sie fragen, ob sie zum Meer gehen wolle oder ob sie Hunger habe, so was.

Den eigenen Vater hier hinter Glas zu sehen, was muss das für ein Gefühl sein, wohl wissend, dass ihn alle anderen für einen Verbrecher halten und sich fragen, wie ein Mensch in der Lage sein kann, zu tun, was er getan hat. Vielleicht fragt sich auch der eine oder andere, wie die Familie dieses Mannes auf seine Taten reagiert. Er hat sie alle zu Opfern gemacht. Und eigentlich ist es genau das, was die Familie vollkommen veränderte. Opfer, weil sie den Rest ihres Lebens im Schatten des Täters verbringen müssen. Ob man das verzeihen kann?

Es wäre so viel leichter für ihn, wenn sie ihrem Vater gegenüber einen Zweifel aufkommen ließe, wenn sie ihm nicht das Bild eines liebevollen Vaters malte. Sie könnte ihm doch erzählen, dass er offensichtlich zum Jähzorn neigte, wie es einer der Nachbarn zu Protokoll gab, dass er dann ungerecht wurde und dass ihre Mutter darunter zu leiden hatte. Der Nachbar hatte von einem Fest erzählt, auf dem er sie vor allen Leuten angeschrien hatte, weil sie ihm in einer Sache widersprochen hatte, dass er sich bedienen ließ, den Teller vor sich auf den Tisch gestellt bekam und wenn er nach Salz verlangte, sie ins Haus lief und es ihm brachte. Warum hat Ana von solchen Dingen nie erzählt? So überlässt sie ihm die Rolle des Anklägers, desjenigen, der diese heile Welt zerstört, die sie so verteidigt. Er wäre derjenige, der sagen müsste, dass ihr Vater nicht der gute Mensch ist, für den sie ihn hält, er müsste ihr sagen, dass ein Mann, der Frauen und Kinder in den Tod führt, kein liebevoller Mensch sein kann. Er, ausgerechnet er, der während jener Zeit so weit weg war, ein anderes Leben geführt hat in einer anderen Welt. Das nimmt er ihr übel, dass sie ihm die Rolle desjenigen überlässt, der moralische Urteile fällen und von Gewissen sprechen müsste und sich, so muss sie es sehen, das Recht zu urteilen anmaßt, ohne zu wissen, was geschehen ist, ohne dabei gewesen zu sein, ohne ihren Vater zu kennen, ohne sie wirklich zu kennen. Sie müsste sich von ihm angegriffen fühlen. Oder er schweigt. Aber wie kann er schweigen angesichts dessen, was geschehen ist? Sie muss wissen, dass er dazu nicht schweigen kann. Vielleicht erklärte das ihr Verhalten, dass sie ihn ansah, aus der Entfernung, aus der sie es ihm gesagt hatte, am Regal stehend, während er auf dem Bett saß, dass sie nicht auf ihn zukam, sich nicht neben ihn setzte, ihm nicht den Arm um die Schulter legte, ihn nicht küsste oder ihm die Hand hielt, ihm nicht zuredete, nicht weinte, was man hätte erwarten können, nachdem sie neun Monate diese Last mit sich herumgetragen hatte. Man hätte erwarten können, dass alles aus ihr herausbrechen, dass sie hemmungslos weinen würde und all die Tränen zutage kämen, die sich in ihr aufgestaut hatten, man hätte auch erwarten können, dass sie schrie, mit den Fäusten gegen die Wände schlagen oder die Bücher aus dem Regal werfen würde, dass sie aus dem Zimmer gerannt wäre, dass er den Knall der Haustür gehört hätte. Es wäre leichter für ihn gewesen, er hätte sie in den Arm nehmen können, er hätte sie festhalten und ihre Handgelenke umklammern und sie vom Schlagen abhalten können, er hätte ihr Gesicht an seine Brust drücken können und ihre tränennassen Haare von den Wangen lösen, er hätte ihr hinterherlaufen können und sie auf der Straße einholen, im Laufen nach ihrem Handgelenk greifen und sie dann zu sich ziehen können, vielleicht hätte sie sich im ersten Moment gewehrt, aber dann hätte sie sich an ihn gedrückt, und er hätte seinen Mantel um sie gehüllt, und so wären sie stehen geblieben, während Menschen an ihnen vorbeigegangen wären. Sie wären lange stehen geblieben, bis er irgendwann gesagt hätte: »Komm.«

Ana schaute ihn an. Er fragt sich, wo sie ihre Hände hatte, während sie vor dem Regal stand, er weiß es nicht, weil er ihren Blick nicht loswurde, diesen kalten, klaren Blick, der ihm feindselig erschien und ihn lähmte. Er hat nur das Bild ihrer Augen vor sich, als hätten sie sich vom Rest ihres Körpers losgelöst. Ob sie sich wenigstens am Regal festgehalten hat, das hat er sich ein ums andere Mal gefragt. Er weiß es nicht, aber er glaubt nicht, er glaubt, dass sie im Raum stand auf festen Füßen.

Als Ana aus dem Zimmer ging, stand er unschlüssig auf. Er sah die alte Ausgabe von *King Lear* im Regal stehen, die sie ihm an einem der ersten Abende mitgegeben hatte und in der er zum ersten Mal die Handschrift ihres Vaters gesehen hatte. Er blieb vor dem Regal stehen. Wäre er den Schritt zum Schreibtisch gegangen, hätte er dessen Foto an der Wand sehen können.

Er trat ans Fenster und sah hinaus. Die Frau im dritten Stock gegenüber stand mit dem Rücken zu ihm in der Küche. Sie öffnete einige Schranktüren, sie schien etwas zu suchen, drehte sich um, stand für einen Moment verloren in ihrer Küche und verschwand dann aus dem Raum. Er hörte Schritte im Hinterhof, dann den Deckel des Müllcontainers.

In der Wohnung war er still. Er wusste nicht, wo Ana war. Er hatte nicht gehört, dass sie die Wohnungstür geöffnet hätte; sie konnte nur im Bad oder in der Küche sein. Was machte sie dort? Er hörte erneut Schritte im Hof; vielleicht hatte jemand seinen Müll runtergebracht und ging zurück ins Haus. Dann war es still, nichts bewegte sich. Die Küche gegenüber blieb leer, eine Schranktür stand noch offen, die Frau hatte vergessen, sie zu schließen.

Er wandte sich dem Schreibtisch zu und warf einen kurzen Blick auf Šimić. Es fiel ihm schwer, ihn anzusehen. Er fühlte sich betrogen. All die Gedanken, wie sie zusammensitzen, am Tisch im Garten, im Einklang miteinander, seine Sehnsucht, in diesem Mann etwas zu sehen, wonach er als Sohn immer gesucht hat, die Dankbarkeit für Ana.

Wie oft hat er sich gewünscht, etwas zu haben, etwas von ihr, was er anfassen kann. Bis auf den Kiesel hat er nichts, kein Kleidungsstück, das sie bei ihm vergessen hat, kein Buch, kein Geschenk, sie hat ihm nichts geschenkt, den Stein hatte sie ihm gegeben, nachdem er ihn auf ihrem Regal entdeckt und gefragt hatte, was das für ein Stein sei. Gehörte es nicht zum Verliebtsein dazu, dem anderen Geschenke machen zu wollen? Er hatte ihr ständig etwas mitgebracht, Rosen, rote und weiße, Bücher, von denen er wollte, dass sie sie las, er hat ihr sogar ein Gedicht verfasst. Er hatte sich immer gewünscht, dass sie ihn mal mit einer Kleinigkeit überraschen würde, einem Liebesbeweis. Aber letztlich war ihm nichts geblieben als die Erinnerung und der Geschmack von Sarma.

Er ging an der Küche vorbei; aber alles stand unverrückt, die zwei Teller waren noch auf dem Tisch, die Tassen, die Krümel, die beiden Stühle waren etwas verschoben, in der Kanne war noch Kaffee, der kalt sein musste. Er zog sich die Schuhe und den Mantel an, legte sich seinen Schal um den Hals. Die Tür zum Badezimmer war zu. Er hielt den Atem an und versuchte, etwas zu hören. Aber es war still. Dann schloss er die Augen und griff im nächsten Moment zur Türklinke und verließ die Wohnung.

In den folgenden Tagen wartete er auf ihren Anruf. Er machte nichts anderes, als zu warten. Er lag auf dem Bett, er aß nichts; wenn er nicht mehr auf dem Bett liegen konnte, ging er hinaus und lief durch die Straßen. Im Park ging er immer wieder an dem Baum vorbei, unter dem sie zusammen gelegen hatten, er setzte sich auf eine Bank vor das Café, aus dem er ihr Kaffee gebracht hatte. Er saß eine ganze Weile dort und ging dann wieder nach Hause. Er sah jedes Mal, wenn er die Wohnung verließ oder zurückkam, im Briefkasten nach. Wenn er die letzte Stufe zu seinem Stockwerk erreichte, schloss er kurz die Augen und hoffte, einen Zettel zu sehen, der an der Tür klebte.

Er erinnert sich, wie sehr ihm das Herz schlug, als er eines Tages, während er die Treppen hochstieg, von unten die Umrisse einer Gestalt sah, die wohl auf den Stufen vor seiner

Wohnung saß. Aber als er oben ankam, sah er seinen Nachbarn, der seine Schlüssel vergessen hatte.

Er rief sie an, kurz bevor er das erste Mal nach Den Haag fuhr. Aber sie ging nicht ans Telefon. Er rief sie an, als er aus Den Haag zurückgekommen war. Kurz bevor er auflegen wollte, meldete sie sich. »Ana«, sagte er. Sie sagte nichts. »Ich ...«, sagte er und wusste nicht weiter, obwohl er dieses Gespräch in Gedanken schon hundert Mal geführt hatte. »Es ist Zeit, dass wir reden«, sagte er. Und sie sagte: »Ja, es ist Zeit.« Er sagte: »Es macht mich glücklich, deine Stimme wieder zu hören.« Und sie sagte: »Ich bin froh, dass du anrufst.« Er sagte: »Ana, vielleicht können wir vergessen, was war.« Sie sagte: »Das ist das Problem, dass ich nicht vergessen kann.« – »Ana, das hat doch alles nichts mit uns zu tun.« – »Es hat mit mir zu tun, deshalb hat es auch mit uns zu tun.«

Die Stille in der Leitung kam ihm ewig vor. Und er hatte Angst, dass seiner Stimme gleich wieder eine Schwere anhinge, die er hatte vermeiden wollen. Er hatte einen unbeschwerten Ton anschlagen wollen, der ihnen das Gespräch leichter machen sollte. Aber ihr Schweigen verunsicherte ihn.

Sie hatte Zeit gehabt, ein paar Wochen, genau wie er. Nach ein paar Wochen mussten ihr doch einige Dinge klarer geworden sein. Er dachte, sie müssten doch wieder eine Sprache für sich gefunden haben. Ihr musste doch auch klar sein, so wie ihm, dass der Tag, an dem sie es ihm erzählt hatte, nicht ihr letzter gewesen sein konnte.

»Ich«, sagte er, »ich wollte wissen, wie es dir geht.«

Er fragte sich, ob es in ihrer Sprache auch ein Wort für die Stille zwischen zwei Menschen gab. Dann hörte er, wie sie atmete, und er glaubte, einen sanften Wind zu spüren, der sein Ohr kitzelte. Er stellte sich Ana am anderen Ende der Leitung vor. Ihre schmale Nase, die blasse Haut, die ernsten Augen. Er war selbst überrascht, wie schnell er ihre Nähe wieder genoss und sich wünschte, er könnte stundenlang so am Telefon mit ihr verbunden bleiben.

Er hörte, dass sie etwas sagen wollte, er hörte den Ton ihrer Stimme, die Hälfte einer Silbe. Hinterher versuchte er sich zu überlegen, welches Wort sie sagen wollte. Er spielte tausend Möglichkeiten durch, aber wenn er ehrlich war, konnte er nicht mal sagen, ob ihr Laut überhaupt bewusst artikuliert war, ob er wirklich der Anfang eines Wortes oder Satzes war. Als Nächstes hörte er, wie sie auflegte, mit einem Zögern zwar, an dem er sich noch eine Weile festhielt und am Telefon blieb, aber als das penetrante Tuten ihm ins Bewusstsein drang, legte er auf.

Er rief seinen Vater an. Es kostete ihn einige Überwindung, und er weiß nicht, warum er glaubte, ausgerechnet sein Vater könne ihm helfen. Dieser hatte seine Beziehungen zu Mädchen und später zu Frauen nie ernst genommen, und schon als Jugendlicher hatte er es immer vermieden, mit seinem Vater über seine Beziehungen oder allgemein über die Liebe zu sprechen. Wenn sein Vater ihn, was er hin und wieder tat, fragte, was denn die Liebe mache, antwortete er immer gleich: Alles sei in Ordnung.

Er hat mit seinen Eltern nur selten über Ana gesprochen und ihnen nicht erzählt, dass Anas Vater ein Kriegsverbrecher ist, Letzteres hat er niemandem erzählt, nicht mal seinem besten Freund. Er wollte, dass es zwischen Ana und ihm blieb. Vielleicht dachte er, nur so könnten sie die Sache und ihre Bedeutung für sich klären, nur wenn es ihr Geheimnis blieb.

Er hörte die Stimme seines Vaters. Wie immer meldete

er sich mit seinem Nachnamen, und wie immer klang es, als habe man ihn gerade gestört.

»Du bist es«, sagte sein Vater.

»Ich bin es.«

»Schön«, sagte sein Vater. »Ich war gerade im Wohnzimmer«.

»Ich möchte dich etwas fragen.«

»Bist du in Schwierigkeiten?«

Das war offensichtlich seine größte Sorge. Zu den Schwierigkeiten, die sich sein Vater vorstellte, gehörten Geldsorgen, ein Autounfall oder ein kaputter Kühlschrank. Das waren Dinge, mit denen er klarkam.

Was hätte er sagen sollen? Dass er die Tochter eines serbischen Kriegsverbrechers liebte? Er bezweifelte, ob seinem Vater die Dimension dessen überhaupt klar gewesen wäre.

»Ich wollte dich fragen, warum du nie Wert darauf gelegt hast, dass ich Kroatisch lerne? Warum du nie versucht hast, mir deine Herkunft näherzubringen? Warum du selbst dich so von ihr losgesagt hast? Ich würde das gern wissen.«

Es war still in der Leitung.

Dann hörte er seinen Vater sagen: »Du bist *hier* geboren, du bist *hier* aufgewachsen, du bist *hier* zu Hause.«

»Aber du bist doch in Kroatien geboren, du bist dort aufgewachsen. Ist dir das egal?«

»Wie kommst du darauf, dass es mir egal wäre?«

»Du hast dich nie dafür interessiert. Andere gehen in kroatische Kulturvereine, lesen kroatische Zeitungen. Du hast dich nicht mal sonderlich für den Krieg interessiert.«

»Junge«, sagte er, »ich bin hier in dieses Land gekommen, weil ich aus meinem Leben etwas machen wollte. Und dann musst du dich entscheiden. Du kannst nicht hier und dort leben, dann lebst du nirgendwo richtig. Und du kannst froh sein, dass du den Krieg nicht erlebt hast, wir alle können froh sein. Du hast doch auch keinen Grund zu klagen, dir geht's hier doch gut.«

Es ärgerte ihn, dass sein Vater nicht verstand, worum es ihm ging. Es ging nicht um ihn, seinen Sohn, aber sein Vater drehte es immer so, dass es am Ende so klang.

»Wie geht's deiner Freundin?«, fragte sein Vater.

»Gut«, sagte er.

»Das ist schön«, sagte sein Vater. »Es freut mich, wenn du glücklich bist. Hat ihr die Torte geschmeckt?«

Er brauchte einen Moment, bis ihm klarwurde, welche Torte sein Vater meinte. Er hatte nicht mehr daran gedacht, dass er seinen Vater angerufen hatte mit der Bitte, seine Schwester anzurufen, um zu erfahren, wie man diesen bestimmten Kuchen backte.

»Ja«, sagte er.

»Meine Schwester wollte wissen, für wen du die Torte backst.«

»Und was hast du gesagt?«

»Für eine Frau.«

»Und was hat sie gesagt?«

»Sie hat sich gefreut, dass du eine Freundin hast.«

»Und was hat sie dazu gesagt, dass sie Serbin ist?«

»Ich habe gesagt, dass sie Deutsche ist.«

Wie absurd er diese Vorstellung fand, aus Ana eine Deutsche zu machen, eine Anna, wie so viele. Wäre sein Vater Ana jemals begegnet, wäre es ihm genauso absurd vorgekommen.

»Sie ist keine Deutsche«, sagte er. »Warum hast du sie als Deutsche ausgegeben?«

»Weil deine Tante es nicht verstehen würde. Du weißt doch,

dass ihr Haus von Serben beschossen wurde, oder weißt du das nicht?«

Er wusste es, aber es war ihm egal gewesen.

Er hat kein Gefühl dafür, wie lange er vor sich hin gestarrt hat. Mr Bloom, der Ankläger, steht an seinem Tisch. Die Befragung des Zeugen ist im Gang.

Ein Mann sitzt dort. Ende vierzig vielleicht. Er trägt einen grauen Anzug, eine Brille, er ist frisch rasiert, seine Gestik sehr fein. Šimić sitzt da, wie er all die Tage gesessen hat. Doch kommt es ihm so vor, als wäre er älter geworden. Plötzlich, von gestern auf heute. Er wirkt müde, sein Gesicht fahl. Als fiele nicht dasselbe Licht auf ihn wie auf all die anderen. Sonst hat seine Abwesenheit oft bemüht gewirkt, als trotze er allen, die hier waren, als strafe er sie mit seiner Nichtbeachtung. Jetzt wirkt er, als wäre er einfach in sich verschwunden. Irgendwohin, weit weg in Gedanken.

Er stupst Aisha an, sodass sie ihn anschaut und, als er ihr ein Zeichen gibt, ihren Kopfhörer abnimmt.

»Worum geht es?«, fragt er.

»Ein Psychologe«, sagt sie. »Er hat ihn behandelt, als Šimić mit dem gebrochenen Bein in die Klinik kam.«

Er dankt ihr mit einem Nicken, und sie setzen beide ihre Kopfhörer wieder auf.

»Die Diagnose lautet Psychose 298.9 auf Grundlage der Neunten Internationalen Klassifikation der Krankheiten, die mittlerweile geändert wurde. 298.9 steht für sogenannte nicht näher bezeichnete Psychosen. Diese Diagnose wurde häufig gestellt, wenn es keine spezifische psychopathologische Grundlage für eine anderweitige Klassifizierung gab. Sie bedeutet also, dass eine schwere Geistesstörung vorlag, die in diesem Fall in erster Linie durch gestörtes Verhalten, Erregung, innere Unruhe und unstrukturierte Denkprozesse zum Ausdruck kam. Aus einer Befragung der Frau des Patienten ging hervor, dass er viel Alkohol trank. Auch wird der Tod eines nahen Angehörigen erwähnt. All diese Faktoren können zu seiner schweren Geistesstörung beigetragen haben.«

»Was seinen Zustand zum Zeitpunkt seiner Einweisung auf Ihre Station anbelangt – können Sie uns auf Grundlage Ihres heutigen Wissens mitteilen, ob er in der Lage war, seine Taten und deren Folgen zu erfassen?«

»Aus seinem seelischen Zustand, also seiner mentalen Verfassung, geht eindeutig hervor, dass er ausgesprochen erregt war, nicht klar denken, sich nicht konzentrieren, nur wahllos auf einige wenige Fragen antworten konnte. Man kam nur schwer an ihn heran. Er sang, schrie, widersetzte sich der Untersuchung. Der Patient wurde daher fixiert, um ihn ruhigzustellen. Zu diesem Zeitpunkt war er nicht in der Lage, sein Verhalten zu kontrollieren oder sich seiner Taten bewusst zu sein.«

»Ist es möglich, dass eine Person, die einen nahen Angehörigen verloren hat, derart reagiert?«

»Ja.«

»Könnte es auch sein, dass eine Person, die möglicherweise etwas Schreckliches getan hat, ein solches Verhalten an den Tag legt, wenn die Schuldgefühle kommen und sie sich ihrer Taten bewusst wird?«

»Es gibt bestimmte Stresssituationen, die ein solches Verhalten auslösen könnten, aber der vorliegende Fall fällt nicht in diese Kategorie. Ein solcher Fall ist in der Praxis womöglich noch nie vorgekommen. In der Praxis kommt es viel häufiger vor – ich habe in einem Gefängniskrankenhaus mit Psychiatriepatienten gearbeitet, die ein Verbrechen begangen hatten –, dass ein Patient zunächst die psychotische Störung entwickelt und dann eine Straftat oder ein Verbrechen begeht.«

Der Psychologe ist der Erste, dem die Befragung nichts anzuhaben scheint. Er macht sogar den Eindruck, mit Freude über seine Arbeit zu sprechen. Er richtet seinen Blick in Erwartung der nächsten Frage auf den Ankläger.

»Haben Sie es in Ihrer Arbeit erlebt, dass ein Patient zunächst ein Verbrechen begeht und dann eine Geisteskrankheit entwickelt?«

»Aus dem Gefängniskrankenhaus kenne ich keinen Fall, in dem der Patient zunächst ein Verbrechen begangen und anschließend eine Psychose entwickelt hat. Alle Patienten hatten entweder eine Psychose entwickelt und dann eine Tat begangen oder eine Tat begangen, ohne an einer Psychose zu leiden.«

»Herr Doktor, Frau Šimić sagte über ihren Mann: ›Seit Kriegsbeginn war er immer beschäftigt, unruhig, ungeduldig.‹ Was schließen Sie daraus? Schließen Sie aus diesem Satz, dass seine Psychose bereits vor seinem Krankenhausaufenthalt ausgebrochen ist?«

»Nein, nicht die Psychose, aber die übermäßige Energie, Mobilität und Unruhe. Dem würde ich zustimmen.«

»Aber, Herr Doktor, es war Krieg. Waren da nicht auch normale Menschen außerordentlich nervös und energiegeladen und reizbar? Ist dies nicht eine normale Reaktion auf den Ausbruch eines Krieges?«

»Das hängt von der Persönlichkeit ab. Einige reagieren darauf womöglich mit Depressionen, andere aggressiv, wieder andere, wie dieser Patient, hypomanisch und mit übermäßigem Antrieb. Einige Menschen flüchten, einige entwickeln einen Verfolgungswahn, und andere bewältigen die Situation, indem sie sich anpassen; das alles hängt von der Persönlichkeitsstruktur und dem Charakter ab. Es gibt keine Regeln dafür, wie man sich in außergewöhnlichen oder extremen Situationen verhält.«

»Nun, Herr Doktor, ich möchte Ihnen folgende Frage stellen: War der Angeklagte zur Zeit seiner Tat in der Lage, zwischen Richtig und Falsch zu unterscheiden?«

»Dazu fällt mir ein Witz ein, den ich Ihnen hier im Gerichtssaal nicht erzählen möchte. Er endet mit zwei Geisteskranken, die sich unterhalten, und der eine sagt zu dem anderen: ›Ich mag zwar verrückt sein, aber ich bin nicht dumm.‹ Dass er eine Psychose hatte, bedeutet nicht, dass er sich nicht bestimmter Verhaltensweisen und ihrer moralischen Bedeutung bewusst war.«

»Hatten Sie während der Zeit, in der Sie ihn behandelt haben, jemals den Eindruck, dass er die Fähigkeit, einen grundsätzlichen Unterschied zwischen Richtig und Falsch zu machen, verloren hatte?«

»Darüber lässt sich streiten. Niemand kann so etwas mit völliger Sicherheit sagen, außerdem befassen wir uns in der Psychiatrie nicht allzu ausführlich mit der Frage, ob Personen zwischen Gut und Böse unterscheiden können. Wir befassen uns mit geistigen Verwirrungen und Störungen. Wenn der Patient also ein angemessenes Verhalten an den Tag legt, wenn er seine Impulse unter Kontrolle hat und die psychopathologischen Merkmale in den Hintergrund treten, dann ist er nach unserem Dafürhalten geheilt und zurechnungsfähig.«

»Sie schilderten, dass der Angeklagte erregt war, als er eingeliefert wurde, dass er sich Ihrer Kontrolle widersetzte. Erinnern Sie sich daran, dass er von einem Haus erzählte, das in Flammen stand, oder von Toten?«

»Nein, das Einzige, woran ich mich erinnere: Er hat einen Namen gerufen, immer wieder. Er rief: ›Gordana!‹ Er rief: ›Lasst sie los, lasst meine Gordana los!‹ Zumindest ist das der Name, den ich verstanden habe. Ich habe ihn auch gefragt, wer das sei, wovon er spreche, aber er hat nicht reagiert. Er schrie: ›Ich werde eure Knochen zu Pulverstaub mahlen und mit eurem Blut einen Teig machen, und von dem Teig werde ich einen Sarg formen.‹ Das war der Moment, als wir ihn fixieren mussten. Wie gesagt: Er war sehr verwirrt.«

Er spürt eine Hand auf seinem Bein. Er braucht einen Moment, um zu begreifen, wessen Hand das ist. Aisha hat den Kopfhörer abgenommen. Sie zeigt auf seinen Hörer. Er nimmt ihn ab. Sie flüstert ihm etwas zu, was er nicht gleich versteht. Sie sieht ihn an, als erwarte sie eine Antwort von ihm. Aber er weiß nicht, was sie will.

»Was ist?«, fragt sie. »Kommst du mit, oder willst du noch bleiben?« Er erhebt sich und schiebt sich geduckt aus der Reihe. Sie folgt ihm. Draußen fragt sie ihn, was los gewesen sei mit ihm.

»Nichts«, sagt er. »Mir schien es, als wärst du gar nicht da gewesen. Ich habe dich beobachtet, irgendwie warst du nicht in dem Raum.«

Er ist froh, dass sie nicht auf einer Antwort beharrt, sondern ihm, während er nachdenkt, was er darauf erwidern könnte, vorausgeht. Er versucht nicht, sie auf der Treppe einzuholen. Er hält sich am Geländer fest. Er ist sich sicher, dass Šimić »Cordana« gerufen hatte, nicht »Gordana«.

Sie nehmen den Weg zum Meer, den er, als er das erste Mal in der Stadt war, gegangen ist. Er vergräbt seine Hände in den Manteltaschen. Gleich kommen sie an der Haltestelle vorbei, unter deren Dach er am ersten Abend gestanden hatte.

Aisha geht neben ihm her. Ihren Kopf leicht gebeugt. Den Reißverschluss ihrer Winterjacke, in der sie etwas aufgebläht wirkt, hat sie hochgezogen bis übers Kinn, die Hände in den Jackenärmeln versteckt, sodass deren Enden wie amputiert wirken.

Er versucht, ihre Schritte zu hören, aber er hört sie nicht. Er fragt sich, wie sie das macht, so lautlos zu gehen, obwohl ihr Körper nichts Leichtes hat, nichts, was schweben könnte wie eine Ballerina. Sie ist kräftig, anders als Ana, die so leicht war, dass sie den Boden nicht zu berühren brauchte. Als er sich umwendet, weil er sie nicht mehr hört, wäre er nicht überrascht gewesen, wenn sie verschwunden wäre. Sie hebt ihren Kopf und sieht ihn fragend an.

Als sie sich dem Meer nähern, schlägt ihnen der kalte Wind entgegen. Er fragt sich, was sie eigentlich hier wollen bei dieser Kälte. Sie kämpfen sich die Straße entlang, bis sie auf der Promenade stehen, den breiten Strand vor sich, dahinter das Meer, das trotz des blauen Himmels tiefgrau wirkt.

»Wohin jetzt?«, fragt er.

»Gibt es einen Ort, wo man im Warmen sitzen kann und das Meer sieht?«

Sie gehen in das Café, in dem er am Abend zuvor gesessen hat, bevor er zum Gefängnis aufbrach. Sie setzen sich an einen der Tische im Wintergarten. Sie bestellt einen heißen Tee. »Willst du nichts?«, fragt sie. Er zögert und bestellt dann auch Tee.

Sie sitzen da und sehen beide hinaus auf das Meer.

»Warum wolltest du vorhin raus?«

Sie legt ihre Hände auf dem Tisch übereinander, als wollte sie sie wärmen. »Ich habe es nicht mehr ausgehalten.«

»Wieso?«

Sie sieht ihre Hände an. »Ich habe es nicht mehr ertragen, wie sie versucht haben, eine Erklärung für seine Tat zu finden, diese Psychose, der Alkohol, der Tod seines Sohnes, warum versuchen sie zu verstehen, was nicht zu verstehen ist? Es ist, als würden sie Verständnis zeigen: der arme Mann, den das Leben so aus der Bahn geworfen hat, dass er am Ende am Bett fixiert werden musste. Was soll das? Soll ich Mitleid bekommen?«

»Vielleicht aber hat er wirklich etwas erlebt, was ihn aus der Bahn geworfen hat.«

»Du meinst den Tod seines Sohnes?«

»Vielleicht gab es noch etwas anderes.«

»Was meinst du?«

»Es war Krieg in Višegrad, kann es nicht sein, dass auch Serben darunter gelitten haben? Warum bist du überhaupt so sicher, dass er es war?«

»Du zweifelst an der Schuld dieses Mannes? Ist das dein Ernst? Hast du ihn mal beobachtet? Hast du gesehen, mit welcher Verachtung er dasitzt? In seinem Anzug, akkurat geknöpft, gekämmt, er rasiert sich sogar jeden Tag, wahrscheinlich riecht er sogar nach Rasierwasser. Das ist pervers angesichts dessen, was ihm vorgeworfen wird. Wäre er unschuldig, hätte er gar nicht die Ruhe, sich jeden Morgen mit solchen Dingen wie Rasieren oder damit, ob der Anzug richtig sitzt, zu beschäftigen. Stell dir vor, du würdest da sitzen, dir würde vorgeworfen, zweiundvierzig Menschen in den Tod geführt zu haben, nicht einfach in den Tod, du hast sie ins Fegefeuer geführt, Kinder, Babys, und du wüsstest, dass du unschuldig bist und all die Anwesenden in dir einen Mörder sehen. Glaubst du, du könntest morgens seelenruhig vor dem Spiegel stehen und dich rasieren? Glaubst du, das wäre dir in dem

Fall wichtig, ob der Anzug gut sitzt und du gut riechst? Der Mann ist ein Mörder, er ist sogar noch schlimmer, weil er das Morden anderen überlassen hat, weil er zu feige war, sich der Tat zu stellen.«

»Warum bist du dir so sicher in deinem Urteil?«, fragt er.

»Du warst noch nie in Bosnien, oder?«

»Nein.«

»Vielleicht solltest du mal hinfahren, um zu verstehen.«

»Um was zu verstehen?«

»Zu verstehen, um was es hier geht.«

»Das Problem ist, dass hier in Berlin, in Deutschland, niemand weiß, was während des Krieges los war. Sie haben ihr Urteil von ein paar Bildern abhängig gemacht, abgemagerte Männer hinter Stacheldraht, Menschen, die vor Heckenschützen fliehen. So ein Urteil ist nicht verlässlich, es ist, als ob du aus einem tausendteiligen Puzzle drei Teile herausnimmst, sie betrachtest und dir dann ein Bild vom großen Ganzen machst. Hättet ihr andere Bilder gesehen, wäre euer Urteil vielleicht anders ausgefallen.«

Es war der Tag nach dem Abendessen bei seinem besten Freund, als Ana – sie waren auf dem Weg zu ihrer Wohnung – davon anfing.

»Kennst du die Wahrheit über das Foto von den abgemagerten Männern hinter Stacheldraht?«

»Welche Wahrheit?«, fragte er.

Er wusste, dass es in Trnopolje eine Art Konzentrationslager gegeben haben soll und dass der Aufschrei groß gewesen war, weil den Deutschen diese Bilder so vertraut waren.

»Die Männer waren nicht hinter Stacheldraht gefangen. Die Journalisten haben von einem Grundstück aus gefilmt, das von Stacheldraht umgeben war. Sie haben es bewusst so aussehen lassen, als handelte es sich um ein Konzentrationslager. Letztlich waren diese gestellten Aufnahmen auch Auslöser dafür, dass die Nato in den Krieg eingegriffen hat.«

Es war das erste Mal, dass er davon hörte, und obwohl er es nicht wollte, spürte er einen Zweifel. Er wusste nicht, ob er ihr glauben konnte.

»Weißt du«, sagte sie, »wenn ich mich hier als Serbin nicht zu meiner Schuld oder wenigstens zur Schuld meines Volkes bekenne, bin ich reaktionär. Ein Aber wird nicht geduldet. Das verletzt mich, weil es mir eine eigene Geschichte abspricht, eigene Erfahrungen, und dann fühle ich mich provoziert und verteidige etwas, was ich gar nicht verteidigen will. Und deswegen möchte ich darüber gar nicht diskutieren.«

Er ahnte damals nicht, wie sehr sie mit der eigenen Biographie beschäftigt war. Dass er das nicht ahnte, macht ihn zutiefst traurig. Und wütend, weil der Zweifel all die Monate blieb. Oder wie sonst sollte man es bezeichnen, wenn der Mensch, den man liebt, neun Monate lang nicht über das redet, was ihn am meisten bedrückt, wenn er dem anderen sein Leben vorenthält, weil er ihm – ja, warum eigentlich? – nicht vertraut oder ihn nicht nahekommen lässt?

»Warum bist du hier?«, fragt er.

Aisha atmet hörbar aus. Sie hält den Blick starr nach draußen gerichtet, wo die Dämmerung allmählich einsetzt und das Meer verschluckt. Weit am Horizont sind die ersten Lichter zu sehen, Lichter, die sich nicht bewegen.

»Ich bin aus Višegrad«, sagt sie, ohne ihn anzusehen.

Er spürt, wie sich Aufregung in seinem Körper breitmacht, wie sich sein Blut beschleunigt und seine Hände zu zittern beginnen und er die Gedanken in seinem Kopf nicht mehr ordnen kann.

»Ich bin dort geboren, und ich war vierzehn, als wir flüchteten.«

Er holt Luft und blickt an ihr vorbei in die Dunkelheit. Er schließt kurz die Augen.

Dann fragt er sie: »Kennst du Ana?«

»Welche Ana?«

»Ana Šimić.«

Es dreht sich in ihm, er versucht etwas zu finden, woran er sich festhalten kann. Das Bild, das hinter Aisha an der Wand hängt. Es ist das gleiche, das in seinem Zimmer in der Pension hängt. Er schläft unter diesem Bild. Am ersten Morgen hat er es sich angeschaut, dieses Mädchen mit dem Turban und dem Perlenohrring, das ihn mit großen Augen und leicht geöffnetem Mund ansieht. Sein Blick fällt auf Aishas Jacke an der Garderobe, daneben sein Mantel. Die Kellnerin steht an der Kuchenvitrine, sie schiebt ein Stück Schokoladentorte vorsichtig auf einen Teller. Dann sieht er wieder das Bild. Dieses Mädchen, das, wenn er sich nicht täuscht, den Betrachter so erwartungsvoll ansieht.

Er hört Aisha. »Ist sie seine Tochter?«

Aisha kennt sie nicht. Er weiß nicht, ob er glücklich oder unglücklich darüber ist. Ihre Stimme hat einen anderen Ton bekommen, leiser, vorsichtiger. Als hätte dieser Satz ihr die ganze Wut genommen.

»Ja«, sagt er.

»Du kennst sie?«

»Ich liebe sie.«

Er hält die Luft an und ist ganz still.

»Wusstest du, wer sie ist?«

»Nein.«
»Wann hast du es erfahren?«
»Vor ein paar Wochen.«
»Wie hast du es erfahren?«
»Ich habe Briefe von ihm gefunden.«

Sie lagen eines Morgens auf ihrem Schreibtisch. Er weiß bis heute nicht, ob sie die Briefe dort vergessen hat oder sie absichtlich hat liegen lassen. Damit er sie findet? Er hat oft darüber nachgedacht. Mittlerweile glaubt er, dass er sie finden sollte.

Sie lagen neben ihrem Computer. Nicht einer, einer wäre zu erklären gewesen; sie hätte ihn an jenem Tag geöffnet und nach dem Lesen liegenlassen, einfach vergessen, ihn wegzuräumen, und nicht daran gedacht, dass er ihn finden könnte. Auf dem Schreibtisch lag aber ein ganzer Stapel, und das konnte kein Zufall sein.

Als er morgens ans Fenster trat, sah er die Briefe. Es mochten fünf, sechs gewesen sein. Sie war nicht im Zimmer, wahrscheinlich war sie im Bad oder in der Küche, aber er kann sich an keine Geräusche erinnern. Sonst hörte er, wie sie Teller auf den Tisch stellte oder wie der Kaffee gurgelnd durch die Maschine lief. An diesem Morgen war es still in der Wohnung.

Er wollte sich die Briefe nicht ansehen, aber es wäre gelogen, zu behaupten, sie hätten sein Interesse nicht geweckt. Er stand da, und die Gedanken an den Stapel, der hinter ihm lag, ließen ihn nicht los. Er fragte sich, von wem diese Briefe waren. Er erinnert sich an den Gedanken, dass es Liebesbriefe sein könnten. Dieses Erschrecken, das ihn für einen Moment lähmte: Gab es vielleicht einen anderen, an einem anderen Ort? Er versuchte, den Gedanken zu verdrängen.

Wer konnte ihr geschrieben haben? Ihre Eltern, das war

naheliegend. Briefe aus Višegrad. Er fragte sich, wie Briefe aus Višegrad aussahen, was auf den Briefmarken zu sehen war, ob es Briefe des Vaters oder der Mutter waren. Er konnte nicht anders, er drehte sich zum Schreibtisch und sah sich die Briefe an.

Er las ihren Namen, ihre Adresse, in blauer Schreibschrift, mit geschwungenen Buchstaben. Der Brief war nicht an Ana adressiert, sondern an Cordana. Er erkannte die Schrift, die Art, »Cordana« zu schreiben, fast wie eine Schlaufe, die in ein a überzugehen schien, am Ende des Namens die gleiche Schlaufe. Es war die Handschrift ihres Vaters. Zum ersten Mal sah er ihn den eigenen Nachnamen schreiben. Das s mit übertriebenen Rundungen, ein merkwürdig klein geratenes i, ohne Punkt, ein c, das allein stand, ohne Anschluss an die vorherigen Buchstaben. Er betrachtete noch mal ihren Namen, und dann erst, eine Ewigkeit später, sah er die Briefmarken, auf denen »Nederland« stand. Er versuchte, den Poststempel zu entziffern. Das Datum konnte er nicht erkennen, aber den Ort. Scheveningen.

Er nahm den obersten Brief und drehte ihn um. Es war kein Absender zu sehen. Er sah sich die anderen Briefe an, es gab keinen Zweifel, sie alle waren von ihrem Vater, alle in Scheveningen aufgegeben. Er hat in jenem Moment nicht daran gedacht, dass der Vater in Scheveningen einsitzen könnte, auf die Verbindung zum Gefängnis kam er nicht.

Er war irritiert. Ana hatte nie erwähnt, dass ihr Vater in den Niederlanden war. Er war immer davon ausgegangen, dass er nach wie vor in Višegrad lebte. Er konnte sich nicht erklären, warum sie ihm verschwiegen hatte, dass ihr Vater in Scheveningen war. Sie hatte oft von ihrem Vater erzählt, warum nicht auch das?

Warum war er dort? Vielleicht gab es eine einfache Erklärung, er würde sie akzeptieren, wenn sie sich an seine Seite drückte, die Arme um seinen Hals legte und ihn von der Seite ansah, mit diesem Blick des Mädchens, so lange, bis er nicht anders konnte, als ihr zu verzeihen, und ihm sein Ärger übertrieben vorkam. Es gab Hunderte von Gründen, die alles erklärt hätten. Aber insgeheim spürte er, dass es dieses Mal keinen gäbe, den er so einfach akzeptieren könnte.

Was wäre gewesen, wenn sie gesagt hätte, dass ihr Vater krank gewesen sei und in Scheveningen die beste Behandlung gefunden hätte? Wenn sie gesagt hätte, er würde dort für ein Semester unterrichten? Er hätte fragen können, warum sie es ihm nie erzählt habe, und sie hätte sagen können, dass es ihr einfach nicht wichtig genug erschienen sei oder es sich einfach nicht ergeben hätte. Er hätte es akzeptiert. Warum war es wichtig, zu wissen, wo der Vater sich aufhielt? Dass seine Eltern in der Nähe von Hannover lebten, hatte er ihr auch eher nebenbei erzählt.

Er ging zurück ins Bett und zog die Decke über sich. Er wollte noch ein paar Minuten in diesem Bett liegen. Sie hatten sich in der Nacht geliebt. Sie musste aufgewacht sein, er spürte, wie sie sich an ihn drückte. Sie küsste seine Brust und schob ihre Hand zwischen seine Beine. Er konnte sich nichts Aufregenderes vorstellen, als mitten in der Nacht erregt um den Schlaf gebracht zu werden, Stille und Dunkelheit um sich herum, in sich das Pulsieren seiner Lust. Es war, als käme er für einen Moment aus seinen Träumen heraus, um sich des Lebens zu vergegenwärtigen und dann wieder abzutauchen. Er dämmerte, nachdem sie miteinander geschlafen hatten, gleich wieder ein. Und am Morgen blieb die Erinnerung an etwas Wunderbares, das sich still in seine Träume mischte.

Er war gut gelaunt aufgewacht und konnte nicht ahnen, dass es das letzte Mal gewesen war, dass er mit ihr geschlafen hatte. Er fragte sich danach oft, ob es ihr klar war. Ob die Nacht ihr Abschiedsgeschenk an ihn war. Und wenn es so war, ob es ihr, angesichts des letzten Mals, schwergefallen war.

Sie waren spät nach Hause gekommen, waren im Kino gewesen und dann gleich ins Bett gegangen. Die Briefe könnten da gelegen haben, ohne dass er sie wahrgenommen hatte. Die andere Möglichkeit wäre: Sie hat sie irgendwann dorthin gelegt, in der Nacht oder frühmorgens, als er noch schlief. Vielleicht – dieser Gedanke kommt ihm jetzt erst – war es ein Vertrauensbeweis, ihre Art, sich ihm zu öffnen, und er hat es nicht verstanden und nicht angemessen darauf reagiert. Warum aber war sie dann an dem Morgen so abweisend?

Als sie zurück ins Zimmer kam, war sie schon angezogen. Sie trug eine Jeans und ein T-Shirt.

»Es war wunderschön«, sagte er.

Sie blieb vor dem Bett stehen und sah ihn an. »Ich konnte nicht schlafen«, sagte sie.

»Warum nicht?«

»Ich weiß es nicht.« Sie ging zum Fenster und öffnete es. Als sie sich umwandte, warf sie einen Blick auf die Briefe. Vielleicht versuchte sie zu erkennen, ob er sie gesehen hatte, ob er vielleicht den Stapel berührt hatte, dachte er.

»Dein Vater hat dir geschrieben«, sagte er und machte eine Pause.

»Seit wann ist dein Vater in Scheveningen?«

Sie sah ihn an. Und durch die Art, wie sie reagierte, wurde er unsicher, ob sie die Briefe nicht doch unbeabsichtigt hatte liegen lassen. Sie fühlte sich offensichtlich angegriffen.

Erst später machte er sich klar, dass sie wahrscheinlich davon ausging, er wüsste sofort, dass ihr Vater in Scheveningen im Gefängnis war.

»Warum hast du mir nicht gesagt, wo er ist?«, fragte er.

Sie stand da, die eine Hand auf den Briefen, unschlüssig, was sie sagen sollte.

»Warum ist er da?«, fragte er.

Dann machte sie einen Schritt vom Schreibtisch weg, sah ihn an mit einem Blick, der ihm Angst machte. Den Anblick vergisst er nicht: Sie sieht ihn an, mit starrem Blick, geradezu aggressiv. Und zu dem Zeitpunkt wusste er nicht mal, warum. Er verstand nichts.

»Meinem Vater«, sagte sie und machte eine Pause, »meinem Vater wird vorgeworfen, dass er am Mord von zweiundvierzig Menschen beteiligt war. Sie sollen verbrannt worden sein. In den Augen der Leute ist er ein Kriegsverbrecher. Du hast dich in die Tochter eines Kriegsverbrechers verliebt.«

Mittlerweile saß er im Bett, er musste hochgerutscht sein, er lehnte mit dem Rücken gegen die Wand, saß da mit nacktem Oberkörper und spürte, wie sein Rücken kalt wurde. Sie sah ihm in die Augen, als warte sie auf eine Reaktion, aber er war wie gelähmt. Damals dachte er, dass sie das Ende wollte. Weil er glaubte, dass es eine andere Möglichkeit gegeben hätte, es ihm zu sagen. Im Bett vielleicht, in seinen Armen. Aber vielleicht machte er sich keine Vorstellung davon, wie schwer es für sie war, ihm das alles zu erzählen, gerade ihm, den sie liebte, der sie liebte. Bestimmt hatte sie Angst, dass er sich von ihr abwenden könnte, dass er mit ihrem Geheimnis nicht klarkam. Und war es letztlich nicht so? Hatte er sie nicht alleingelassen, statt ihr nachzulaufen und sie zu suchen?

Sie verließ das Zimmer. Es schien ihm, als hätte sie es eilig gehabt. Aber vielleicht schien es ihm nur so, weil für ihn alles stillstand. Und als er, wann auch immer, aufstand und sich die Hose anziehen wollte, brauchte er drei Versuche, um mit den Füßen in die Hose zu steigen; er fand das Gleichgewicht nicht und musste sich aufs Bett setzen. Er sah sich um, ob im Zimmer noch etwas von seinen Sachen lag. Er sah seine Socken neben dem Bett liegen und das Buch von Ivo Andrić. Er zog die Socken an und ließ das Buch liegen. Er stand auf und ging aus dem Zimmer. Im Flur knarrte eine Diele unter seinen Schritten. Sonst war es still.

Er erinnerte sich an die Stelle im Buch, an der Mullah Ibrahim sagt, dass man fließendes Wasser nicht stören, es ableiten und seinen Lauf ändern solle, und sei es auch nur für einen Tag oder eine Stunde, denn das sei große Sünde. Aber der Schwabe finde keine Ruhe, wenn er nicht an etwas herumklopfe und bastele.

Aisha sieht ihn an. Er erwartet, dass sie ihn nicht versteht. Aber sie sitzt da und hält die Teetasse zwischen den Handflächen.

»Du solltest hinfahren«, sagt sie. »Für euch, die ihr nicht dort gelebt und den Krieg nur im Fernsehen gesehen habt, ist die ganze Situation nicht nachzuvollziehen. Ich könnte niemals mit einem Serben zusammen sein, das könnte ich meiner Familie nicht antun. Nach außen hin mag es so aussehen, als sei der Krieg vorbei. Wenn du in Bosnien unterwegs bist, wirst du zwar noch Häuser sehen, die zerschossen sind, du wirst aber auch Menschen sehen, die abends trinken und tagsüber zur Arbeit gehen, wie in jedem anderen Land auch. Du musst dir aber die Geldscheine genauer betrachten. Es gibt Unterschiede. Auf den einen stehen erst die kyrillischen Buchstaben und auf den anderen erst die lateinischen, und auf den einen sind serbische Helden zu sehen, auf den anderen muslimische. Du musst wissen, dass es für die Menschen, die diesen Krieg erlebt haben, ein Leben gibt, das sie am Tag führen, aber es gibt noch ein anderes Leben, und das fängt an, wenn sie ins Bett gehen und zu schlafen versuchen.«

Die Promenade ist mittlerweile beleuchtet. Es ist ein stilles Leben hinter der Scheibe. Er hat das Bild ihrer Lippen vor Augen, diese kleine Sommersprosse, die sie ihm geschenkt hat, *pega*. Für ihn war sie der Ausdruck einer Stille, eines inneren Friedens. Er muss an das serbische Wort *mir* denken, das »Stille« heißt, aber auch »Frieden«. Hatte er sich so getäuscht? Wie konnte er glauben, dass ein Mensch, der erlebt hat, was Ana erlebt hat, einen inneren Frieden haben könne? Was bedeutet es, zwei Leben zu haben? Findet das eine ohne ihn statt? Könnte sie es überhaupt mit ihm teilen? Mit ihm, der nicht erlebt hat, was sie erlebt hat, der nicht wissen kann, wie es ist, zwei Leben zu haben. Vielleicht hatte sie es gehofft, am Anfang, aber dann gemerkt, dass es doch nicht ging. Er fühlt sich auf einmal ausgeschlossen, hinter Glas, wie all die Tage im Gericht. Aisha hat gesagt, Menschen wie er könnten Menschen wie sie nicht verstehen. War ihm nichts anderes möglich als die Rolle des Zuschauers? Konnte er immer nur auf Anas Leben blicken, ohne daran teilzuhaben? Das will er nicht glauben. Er will sich nicht aussperren lassen. Wer sagt überhaupt, dass Ana und Aisha sich ähnlich sein müssen? Vielleicht sollte er wirklich hinfahren.

»Ich wüsste gern«, sagt er, »ich wüsste gern, ob du jemanden hast.«

»Du meinst, ob ich verliebt bin?«

»Ja.«

»Wir haben uns in Deutschland kennengelernt. Er hat mit seiner Familie im Zimmer nebenan gelebt; wir haben uns das

Bad und die Küche geteilt. Sie waren zwei Wochen vor uns aus dem belagerten Goražde geflohen.«

»Warum ist er nicht hier?«

»Er versucht, einen Schlussstrich zu ziehen. Er will nichts mehr vom Krieg hören, er will ... wie soll ich sagen ... zumindest die Tage ohne Krieg verbringen, sie genießen.«

»Redet ihr über den Krieg?«

»Anfangs. Er hat mir erzählt, was mit seiner Familie passiert ist, wie sie geflohen sind, und ich habe ihm von mir erzählt. Wir wissen beide, wie es war, wir müssen nicht mehr darüber reden.«

Wie oft lagen sie abends im Bett, nachdem sie die Bücher beiseitegelegt und das Licht ausgemacht hatten. Für ihn waren das immer Momente gewesen, in denen er sich ihr sehr nahe fühlte. Nur er und sie, während die Dunkelheit alles verhüllte; die Wahrnehmung reduzierte sich aufs Fühlen. Ihren Körper spüren, ihre gemeinsame Wärme unter der Decke, ihre kalten Zehen, ihren erhitzten Bauch. Dann fühlte er eine tiefe Vertrautheit zwischen ihnen. Er dachte, das wären die Momente gewesen, um zu reden. Und fragt sich zum ersten Mal, ob es vielleicht nicht der unpassendste Moment dafür war, weil sie in der Dunkelheit, abends im Bett, mit ihrem anderen Leben beschäftigt war.

»Wie lange bleibst du noch?«, fragt er Aisha.

»Ich wollte die ganze Woche bleiben, aber ich glaube, ich fahre bald zurück. Und du?«

»Morgen früh.«

»Kommst du noch mal wieder?«

»Ich glaube nicht. Und du?«

»Ich will da sein, wenn er verurteilt wird.«

Er wünschte, er könnte es in dieser Klarheit auch von sich

sagen. Aber er weiß nicht, was er fühlt. Eine Leere hat sich in ihm ausgebreitet. Wenn er ehrlich ist, würde er sagen, dass Šimić ihm egal geworden ist. Es ist, als wäre die Wut auf diesen Mann, weil er Ana all das angetan hat, aus irgendeiner Stelle seines Körpers entwichen.

»Magst du noch etwas trinken?«

Sie schüttelt den Kopf.

»Dann lass uns gehen. Ich bringe dich zum Bus«, sagt er. Er gibt der Kellnerin ein Zeichen und holt sein Geld aus der Hosentasche. Als sie an den Tisch tritt, fragt er sie, wie man von hier zum Bahnhof kommt.

Es ist erst kurz nach acht Uhr. Aisha merkt man an, dass sie diesen plötzlichen Aufbruch nicht erwartet hat. Sie bleibt sitzen, während er seinen Stuhl zurückschiebt und sich erhebt. Sie führt noch mal ihre inzwischen leere Tasse zum Mund.

Draußen ist es kälter geworden, obwohl der Wind nachgelassen hat. Sie versuchen beide, ihre Gesichter, so gut es geht, in ihren Kragen zu schützen.

Der Tag am Meer. Er hat die Karte auf seinem Schoß ausgebreitet. Sie sind gerade vom Meer gekommen, sitzen im Auto und warten, dass es warm wird. Er hat das Gebläse auf die höchste Stufe geschaltet. Sie hat ihre Hände zwischen ihre Oberschenkel geschoben. Auch er kann seine Finger vor Kälte kaum bewegen. »Wo fahren wir hin?«, fragt sie. »Wo würdest du gern hin?«, fragt er. »Irgendwohin, wo es warm ist«, sagt sie. »Nach Hause?«, fragt er. »Ich will nicht nach Hause«, sagt sie. »Sag mir, wohin ich dich fahren soll.« – »Ich weiß es nicht. Fahr einfach los.«

»Danke, dass du mich begleitet hast«, sagt Aisha, als sie die Haltestelle erreichen.

Dann stehen sie da und warten auf den Bus. Er weiß nicht, wie er sich verabschieden soll. Soll er ihr die Hand geben? Sie in den Arm nehmen? Sie sind die Einzigen. Auf der anderen Straßenseite ein Park, Bäume, deren Umrisse sich im Abendhimmel abzeichnen.

Er hört ihre Stimme. Sie sagt, dass Lejla Hasanović ihre beste Freundin gewesen sei. »Wir sind zusammen zur Schule gegangen. Wir waren gleich alt. Wir wohnten zwei Häuser voneinander entfernt. Unsere Familien wollten zusammen weg. Alles war geplant, wir haben auf Lejla und ihre Familie gewartet. Die Busse standen bereit, und dann sagte man uns, wir müssten jetzt einsteigen, sie könnten nicht mehr warten. Ich weiß noch, wie mein Vater zu einem der Verantwortlichen gegangen ist und gesagt hat, dass noch ein paar Familien kämen, und der Mann ihm sagte, es würden neue Busse kommen. Schließlich sind wir eingestiegen. Erst Jahre später habe ich erfahren, was passiert ist. Ich frage mich bis heute, warum Lejla zu spät gekommen ist.«

Dann sieht er die Scheinwerfer des Busses. Er nimmt das Motorengeräusch und dann das Schnaufen der Türen wahr. Aisha steigt ein, dreht sich noch mal um und sieht ihn an. Er kann ihren Gesichtsausdruck nicht deuten, es ist, als hätte sie keinen. Er sieht, wie sie an den Sitzreihen vorbeigeht und sich in eine der mittleren Reihen ans Fenster setzt. Der Bus fährt an. Dann sieht er zwei Reihen hinter ihr eine ältere Frau, sie sitzt am Gang. Er ist sich sicher. Er überlegt kurz, ob er gegen die Scheibe schlagen soll, aber dann sieht er nur zu, wie der Bus sich von der Haltestelle entfernt. Er sieht die Nummer über dem Fenster leuchten. Der Bus kommt vom Gefängnis. Er schaut auf die Uhr, dann auf den Fahrplan: Abfahrtszeit 20.37 Uhr. Es ist 20.39 Uhr.

Oft frage ich mich, Ana, was du von alldem weißt, wissen wolltest. Wann hast du von den Vorwürfen gegen deinen Vater erfahren? Hast du ihm seitdem in die Augen gesehen? Ihn gefragt? Vielleicht ist es auch ein Trugschluss, dass ausgerechnet die eigenen Kinder fragen sollen. Warum sollen ausgerechnet die Kinder das zerstören, woran sie glauben: dass Eltern ihre Kinder nicht betrügen.

Vielleicht war es das Beste, was du machen konntest, weit weg zu sein. Ich kann dich verstehen. Wahrscheinlich hätte ich mich auch so verhalten. Weil es so unvorstellbar ist – der eigene Vater. Der Vater, der neben mir auf dem Rasen liegt und dessen Keuchen ich bis heute höre, der Vater, auf dessen Schoß du saßest, der dir vorgelesen hat und deinen Kopf an seine Brust drückte, wenn du nicht ertrugst, dass Romeo seinen Degen zog und Tybalt niederstach.

Es ist so unvorstellbar tragisch, dass du vielleicht als Einzige weißt, warum dein Vater es tat. Am Ende glaubst du, er hat es für dich getan. Ana, ich kenne die Stelle, du hast mich darauf gebracht: »Ich werde Eure Knochen zu Pulverstaub mahlen und damit und mit Eurem Blut einen Teig machen.« Es ist Titus Andronicus, der Rache nimmt für die Schändung seiner Tochter.

Ana, ich weiß nicht, was passiert ist, du hast nie darüber gesprochen, aber ich will es wissen, auch wenn ich es kaum ertragen könnte. Schon allein der Gedanke daran, was dir geschehen sein könnte, ist furchtbar. Vielleicht habe ich die ganze Zeit zu viel an mich gedacht, das ist mir nach all den Wochen klargeworden. Ist es das, was du mir insgeheim vorwirfst?

Weißt du, was mich verunsichert? Dass ich merke, wie sehr sich das Bild, das ich von deinem Vater habe, in den vergangenen Wochen verändert hat. Ich begegne ihm mit mehr Nachsicht. Es verunsichert mich, weil es mir zeigt, wie begrenzt Gewissheiten und Überzeugungen sind, wie wenig sie mit Erfahrungen zu tun haben. Ana, ich habe Angst um dich. Ich habe ein so starkes Bedürfnis danach, dich in die Arme zu schließen.

Ich saß vor deiner Tür und habe auf dich gewartet. Ich wollte dir sagen, dass ich in Den Haag war und dass ich noch mal hinfahren werde. Ich weiß nicht, wie lange ich dort gesessen und deinen Namen an der Tür betrachtet habe. Ich habe seinen Namen gesehen; früher hatte ich immer deinen Namen gesehen.

Dann habe ich dich gehört, deine Art, die Treppen hochzusteigen, als würdest du sie kaum berühren. Weißt du, dass ich dich in Gedanken manchmal tanzen sehe, eine Schleife im Haar, Pirouetten drehend, ich sehe deine Schulterknochen, die sich durch deine blasse Haut drücken, deine dünnen Arme, du hast dir deine Haare hinter die Ohren geschoben, den Kopf aufgerichtet, du tanzt im Wohnzimmer deiner Eltern, und ich sehe dich durch das Fenster.

Du standest vor mir und sahst mich an. Und ich dachte, du würdest als Nächstes die Tür aufschließen und in deine Wohnung verschwinden. Aber du setztest dich neben mich auf die Stufe. So saßen wir eine Weile schweigend. Dann sagtest du, ohne mich anzusehen: »Gib mir noch Zeit.« Und obwohl ich mich fragte, ob jemals genug Zeit sein würde, sagte ich: »Alle Zeit der Welt.«

Aisha hatte recht, es musste zwei Leben geben, sonst war das nicht zu erklären, wie die Menschen abends durch die Innenstadt von Sarajevo flanierten, in den vielen Cafés saßen, sich unterhielten, Fußball schauten, lachten, als wäre nie etwas geschehen.

Von seinem Hotelzimmer aus konnte er die Miljacka sehen, deren braunes Wasser sich träge im Flussbett vorwärtsschob. An ihrem Ufer, unterhalb seines Fensters, war ein Freibad mit zwei hellblauen Becken, in denen morgens Kinder unter den Anweisungen eines trillerpfeifenden Trainers Übungen machten und sich nachmittags viele Menschen tummelten, sodass ihr fröhliches Geschrei bis in sein Zimmer im vierten Stock drang. Von hier oben konnte er sogar den Flusslauf überblicken, der die Stadt wie eine Kerbe teilte. Er konnte fünf Brücken zählen, die beide Ufer miteinander verbanden. Und auf den Hügeln, zwischen den vielen Häusern, sah er die weißen Kreuze. Das waren die sichtbaren Zeichen. Auf den Friedhöfen gab es ganze Reihen, ganze Felder von Toten mit den Todesjahren 1992 und 1993. Das ist es, was ihn erschrak, weil es dem Leben seine Autonomie nahm, es war ein Ausdruck dessen, dass der Mensch Gott gespielt und über das Schicksal bestimmt hatte.

Er stand vor einem Grab, fünf weiße Marmorplatten nebeneinander, fünf Mal dieselben Nachnamen, fünf Mal dasselbe Todesdatum, deren Tragödie in den fünf unterschiedlichen Geburtsjahren lag: 23. März 1954, 7. Februar 1958,

8. Juli 1981, 12. Dezember 1983, 3. April 1986. Er konnte die Familie, die er nie gekannt hat, nicht vergessen. Wie sollten das erst die Menschen, die sie gekannt haben, können? Flussabwärts, wo eine kleine Promenade am rechten Ufer entlangführt und ein paar Verliebte im Schatten der Buchen auf Bänken oder auf der gemauerten Begrenzung des Flusslaufs saßen, sah er die Sprenkel in den Häusern, kleine Tupfer, handgroße Löcher, manchmal tellergroß. Die Häuser waren übersät mit diesen Sprenkeln, und zwischendrin sah er Gardinen hinter den Fenstern, Wäsche über den Balkonen gespannt. Mit welcher Selbstverständlichkeit sie inmitten dieser Spuren lebten!

Drei Tage war er in Sarajevo geblieben, und bei einem seiner vielen Spaziergänge in dieser heißen Auguststadt lernte er Alija kennen. Er stand auf einer der Brücken und blickte dem Wasser der Miljacka nach, diesem schlammigen roten Fluss, der sich kaum merklich durch die Stadt bewegte. Alija war außer den beiden Anglern der Einzige, der nicht in Eile schien. Die Angler saßen am Ufer und hielten ihre Angelschnüre ins Wasser.

Auf der Brücke stauten sich die Autos. Er hörte das Hupen und das Schleifen der Straßenbahn. Neben ihm stand dieser große und breite Mann mit den kräftigen Händen, die ihm als Erstes auffielen, vielleicht weil sie sich an der Brüstung festhielten. Er hatte seine Hemdsärmel aufgekrempelt und trug eine dunkle Sonnenbrille. »Hier begann der Krieg, auf dieser Brücke.«

Er sah ihn an, sah diesen fremden Mann neben sich, der ihm langsam das Gesicht zuwandte.

»Es gab eine friedliche Antikriegsdemonstration, und von dort«, er zeigte mit der Hand auf das andere Ufer, »haben einige Serben in die Menge geschossen. So fing der Krieg an.« Dann reichte er ihm die Hand und sagte: »Alija. Ist es dein erstes Mal in Sarajevo?«

Er nickte.

»Woher kommst du?«

»Berlin«, sagte er.

»Meine Frau liebt Berlin. Sie hat Verwandte dort.« Und dann lachte er. »Ich erinnere mich an Berlin, an die Friedrichstraße. Sie lief von einem Laden zum nächsten und ich hinter ihr her mit all den Tüten, die ich für sie tragen musste.«

Alija, das erfuhr er später, war sechsundvierzig und hatte im Krieg gekämpft. Er war Muslim. Er brachte etwas mit dem Krieg in Verbindung, das ihm in dem Zusammenhang fast obszön erschien: Humor. Es habe Stunden gegeben, während deren er und seine Männer in ihren Stellungen hinter Sandsäcken gelegen und Tränen gelacht hätten. Ob er wisse, dass die Stadt kurz vor Kriegsausbruch eine gewaltige Reislieferung aus China bekommen habe, fragte Alija ihn. In Sarajevo habe es während des Krieges die erste Sake-Produktion Bosniens gegeben. Jeden Tag hätten sie Reis gegessen, sodass Alija seine Mutter irgendwann gebeten habe, sich etwas einfallen zu lassen, weil er den Reis nicht mehr sehen könne. Eines Mittags kam er nach Hause, und die Mutter hatte ihm grünen Reis serviert, sie hatte ihn mit Gras gefärbt. Es gebe ein Dutzend solcher Geschichten, sagte er, die diesen Krieg so absurd erscheinen ließen. Wie konnte ein Mensch über diesen Krieg lachen? Alija konnte das, zumindest für Momente; vielleicht war es seine Art, Abstand zu dem Schrecken zu bekommen.

Für den Abend verabredeten sie sich in einem Restaurant am Flussufer. Sie saßen auf einer Bank, draußen, und der Verkehr zog auf der anderen Uferseite vorbei. Er fragte Alija, ob er diesen Krieg verstanden habe.

»Es gibt Dinge, die lassen sich erklären, andere nicht.« Alija erzählte von einem Freund, der Serbe ist. Sie haben im selben Haus gewohnt, sind zusammen aufgewachsen, der Vater des Freundes war beim Militär. Schon Tage bevor der Krieg ausbrach, hatte der Vater gesagt, es werde etwas passieren. Eines Tages war der Freund nicht mehr da. Alija bekam einen Anruf. Der Freund sagte, er solle die Stadt verlassen. Alija fragte, wo er sei. Und der Freund sagte, oben auf dem Berg. Von dort oben schoss er auf die Stadt, seine Stadt, in der er aufgewachsen war, Freunde hatte. Später rief er noch mal an, und Alija fragte ihn, wie er auf die Stadt schießen könne, in der er aufgewachsen sei und Freunde habe, wie er auf ihn, der unten war, schießen könne. Der Freund sagte, er könne nicht anders. »Kann man das verstehen?«, fragte Alija. »Ich jedenfalls kann es nicht.«

Alija trank sein Bier, während er Şiş Kebap aß. »Unser traditionelles Essen«, sagte er und lachte. Dann zeigte er auf die andere Uferseite, auf ein großes Gebäude. Ein prunkvoller Bau, mit Säulen und hellen Ziegeln. Innen klaffte ein großes Loch. »Die Bibliothek«, sagte Alija. »Es gab den Befehl, sie zu zerstören. Und weißt du, von wem? Von einem Professor dieser Universität, der im Krieg einer der Anführer der bosnischen Serben war.«

Er musste an Šimić denken; er hatte in dieser Stadt gelehrt. Sollte er Alija nach ihm fragen? Aber er wusste nicht, was er Alija antworten sollte, wenn der ihn, was er mit Sicherheit täte, nach dem Grund seines Interesses an Šimić fragte. Sie blickten schweigend über den Fluss.

Aus einem Restaurant, das dort lag, wo die Miljacka einen

Knick machte, wehte Folkloremusik herüber. Während er mit der Gabel in dem kleinen Tontopf mit dem Şiş Kebap herumstocherte, fragte er Alija. Der sah ihn eine Weile still an und sagte dann: »Ja, ich habe von ihm gehört. Ein Freund von mir war einer seiner Studenten.«

Am nächsten Tag trafen sie sich mit Alijas Freund zum Mittagessen. Er hatte vor zwanzig Jahren einige Semester bei Šimić studiert. Šimić war beliebt unter den Studenten. Er war ein Gentleman, zuvorkommend, hielt seinen Studenten die Tür auf, in den Sprechstunden nahm er sich Zeit. Einmal im Monat traf er sich abends mit seinen Studenten in einer Kneipe; er liebte Jazz, besonders Coltrane.

Sie saßen im alten Teil Sarajevos, im türkischen, mit Blick auf das Minarett der großen Moschee. Sie saßen auf mit bunten Kissen bedeckten Bänken. Alija übersetzte, was der Freund erzählte, und rührte dabei mit dem kleinen Löffel in seiner Mokkatasse.

Šimić trug meist ein Tweedjackett mit Lederpolstern an den Ellenbogen, Šimić hätte den Humor von Harold Pinter, was auch immer das bedeuten sollte. Šimić hat mehrere Bücher geschrieben, über Shakespeare und kurz vor dem Krieg eines, in dem er sich Gedanken zur Nation machte. Das, sagte der Freund, sei nicht mehr der Šimić gewesen, den er gekannt habe. Irgendwas musste mit ihm passiert sein.

Er hat das Buch ein paar Tage später bekommen; Alija hat es ihm besorgt und ihm Passagen daraus übersetzt. In einem Absatz über Shakespeare hieß es, für jeden seiner Charaktere existiere eine Grenze, jenseits welcher das Leben selbst weniger wertvoll war als der gestaltete Sinn des Lebens. Und dann bezeichnete der Verfasser die Kosovo-Helden als Architekten des eigenen Todes und fragte, ob das nicht das ultimative Ziel aller großen tragischen Helden von Homer bis Shakespeare sei. Ging es darum? Architekt des eigenen Schicksals zu sein?

Der Freund erinnerte sich daran, dass Šimić nach dem Tod seines Sohnes zwei Jahre lang einen Trauerflor trug. »Vielleicht«, sagte er, »war es das, was ihn so verändert hat.«

Abends saßen sie zusammen in einem britischen Pub, oben auf einem der Hügel. Der Pub gehörte einem Bekannten von Alija. Sie saßen im Garten, unter ihnen lag die Stadt, die sich auch auf die Hügel jenseits der Miljacka erstreckte. Bald sah man nur noch das Flimmern der Lichter im warmen Abendhimmel.

Obwohl sie draußen saßen, redeten sie mit gedämpften Stimmen. Nur die Kinder rannten um den Tisch und jauchzten dabei. Er weiß nicht mehr, warum, aber sie kamen auf die Liebe zu sprechen. Alija fragte ihn, ob er verliebt sei. Er nickte und stellte sich vor, Ana säße hier neben ihm, in dieser Runde, und sie würden, jeder für sich, die Lichter betrachten, die, wie es schien, den Himmel betupften.

Es war eine helle Nacht, die anbrach, sodass die Konturen der Berge sich abzeichneten. Wie verhängnisvoll eine solche Lage sein kann. Die Berge ringsherum wurden zum Schicksal, weil sie die Menschen in dieser Stadt einschlossen.

Er fragte Alija, ob er sich vorstellen könne, eine Serbin zu lieben. »Nein«, sagte er, und der Freund ergänzte: »Eine solche Liebe hat keine Chance.« Später erfuhr er, dass der Freund mit seiner Familie aus Pale vertrieben worden war. »Es gibt etwas, das ist stärker als die Liebe, und das ist die Erinnerung an das, was geschehen ist.«

Was hatte das mit ihm zu tun? Wieso lag diese Erinnerung zwischen Ana und ihm? Er betrachtete die Berge. Er versuchte, Bilder zu sehen von Panzern, die dort oben standen, von Mörsern, die wahllos in der Stadt einschlugen. Es waren nicht seine Bilder.

Am nächsten Tag machten sie eine kleine Rundreise mit dem Auto. Sie verließen die Stadt nach Osten, fuhren an Pale vorbei, Richtung Višegrad. Die Straße führte in die Berge, vorbei an tiefgrünen Wiesen und sanften Hügeln, eingerahmt von Wäldern, die sich beidseitig bis zum Horizont erstreckten. Nur ab und an stand ein Haus in der Landschaft. Er fühlte sich an das bayerische Voralpenland erinnert, durch das er als Kind des Öfteren mit seinen Eltern gewandert war. Mit einer solchen Schönheit hatte er nicht gerechnet.

Die Straße führte durch einen dichten Wald steil bergan. Sie hatten die Fenster geöffnet. Im Schatten der Bäume wurde es kühl im Auto. Sie quälten sich eine Weile hinter einem Lastwagen her, bis die Straße die Kuppe erreicht hatte und wieder abfiel. Was sich vor seinen Augen erstreckte, war von so unglaublicher Schönheit, dass er Alija fast bat, anzuhalten.

Vor ihnen lag eine Hochebene, unberührt, so schien es, grün und sanft, von der Ebenheit eines Sees, so weit, dass er sie kaum überblicken konnte. Sie kamen an kleinen Dörfern vorbei, Ansammlungen von drei, vier Häusern. Er sah Mädchen, die ein paar Kühe vor sich hertrieben, und Menschen, die auf den Verandas ihrer Häuser saßen, meist ältere, und den Autos nachschauten. Er sah Männer, die mit ihren Sensen auf den Wiesen hinter den Häusern das Gras schnitten. Und er hörte, wie Alija ihm von Massakern in diesen kleinen Dörfern erzählte, von Menschen, die auf Feldern zusammengetrieben und erschossen wurden. Er konnte sich nicht vorstellen, dass durch diese fruchtbare Erde das Blut gesickert war. Auf dem Rückweg sah er die Männer, die mit ihren Sensen die Wiesen schnitten, mit anderen Augen.

Es sei kein Krieg zwischen Muslimen und Serben gewesen, sagte Alija. »Es war ein Krieg zwischen Land- und Stadtbevölkerung. *Rural and urban*«, sagte er. Die Bauern hätten sich am schnellsten an das Töten gewöhnt. Sie hätten ein Leben lang Tiere geschlachtet, und dann seien es eines Tages keine Tiere mehr gewesen, sondern Menschen; auch daran gewöhne man sich schnell, wenn man schon mal Blut an den Händen habe. Fast biblisch sei das gewesen.

Ob er die Geschichte von Abraham kenne, fragte Alija. Abraham war bereit, den eigenen Sohn zu schlachten. Diesem Land hier haben sie das Blut geopfert, es war die Opfergabe an die serbische Nation. Aber die Nation ist nur ein abstrakter Begriff für das Land, auf dem ihre Häuser stehen, auf dem sie zur Welt gekommen sind, das ihnen die Ernte bringt und sie am Leben hält und das sie in ihren Liedern besingen und dessen Schönheit sie in ihren Gedichten beschreiben. Und in ihrer Liebe zu ihrer Heimat sind sie bereit, sich im Kampf zu opfern. Das ist ihre Form von Heldentum.

So plötzlich, wie die Ebene vor seinen Augen aufgetaucht war, veränderte sich die Landschaft wieder. Wie aus dem Nichts schlängelte sich die Straße durch Schluchten, rechts und links ragten Felsmassive in die Höhe, steil und karg, durch die offenen Scheiben drang das Rauschen eines Baches, der dem Straßenverlauf folgte und stellenweise die Breite eines Stroms hatte. An manchen Stellen saßen die Angler. Alija sagte, die Flüsse in dieser Gegend seien voller Fische.

Eine Dreiviertelstunde folgten sie der abschüssigen Gebirgsstraße, bis sie sich aus der Umklammerung der Berge befreite und sich vor ihnen ein breiter Flusslauf öffnete, durch den eigenwillig grünes Wasser floss, das an manchen Stellen im Licht der Sonne zu funkeln schien. Er hielt die Luft an, um seine Aufregung zu unterdrücken. Da lag sie, die Drina, zwischen den Bergwänden wie in einer Wanne. Sie bogen ab und folgten dem Fluss stromabwärts.

Nachdem sie einige Kilometer gefahren waren, stellten sie das Auto am Straßenrand ab und fanden einen Weg, der die Böschung hinabführte. Jemand hatte Stufen in den Boden gehauen. Sie mussten zwanzig, dreißig Meter gehen, dann kamen sie in einen kleinen Wald. Hinter den Büschen am Ufer konnte er das Wasser sehen. Sie folgten dem ausgetrampelten Pfad, bis sie zu einer lichten Stelle kamen, jemand hatte sich einen Verschlag gebaut. Im Wasser schwammen Plastikflaschen, die sich in den Ästen der Büsche verharkt hatten. Vor dem Verschlag war ein freier Zugang zur Drina. Durch das Wasser schien der braune Untergrund hindurch.

Er ging in die Hocke und tauchte seine Hand ins Wasser. Dann betrachtete er seine Hand, als könnte das Wasser der Drina Spuren hinterlassen haben. »Hast du jemals in der Drina gebadet?«, fragte er Alija. »Als Kind«, antwortete der, »seit dem Krieg ist die Drina ein vergifteter Fluss.«

Als sie weiterfuhren und einen Tunnel nach dem anderen durchquerten, konnte er den Blick nicht von der Drina lassen. Er war enttäuscht über den Dreck, der durch das Wasser trieb, Plastikflaschen, Tüten. Einmal glaubte er sogar, ein totes Tier im Wasser zu sehen. Es sah aus wie der aufgequollener Körper einer Ziege oder eines großen Hundes; so genau konnte er das nicht erkennen. Er trieb träge im Wasser.

Es dauerte noch eine halbe Stunde, bis sich hinter einer Flussbiegung das Tal wieder öffnete und er die ersten Häuser auf der gegenüberliegenden Uferseite sah. Sie standen leer. »Wie du siehst«, sagte Alija, »sind einige von ihnen abgebrannt.« Und erst bei genauerem Hinsehen stellte er fest, dass die Dächer nur aus Balken bestanden und dort, wo mal Fenster waren, Löcher im Mauerwerk klafften.

Von weitem sah er die Brücke mit ihren Rundungen. Er hatte sie sich verletzlicher vorgestellt, wie die meisten Brücken, die nur von wenigen Stützen getragen werden. Diese Brücke aber war anders. Sie wirkte schon von weitem so massiv, sie schwebte nicht, sie stand im Wasser, als wäre die Brücke vor dem Wasser da gewesen, wie ein Teil der Natur, wie die Berge drum herum. Eine Brücke für die Ewigkeit.

Er erinnerte sich an eine Passage aus dem Buch von Ivo Andrić.

Wie sollte man jenes Wogen in den Menschen beschreiben, das von stummer, tierischer Angst bis zu selbstmörderischer Begeisterung, von den niedrigsten Trieben der Blutgier und des hinterhältigen Raubes bis zu den höchsten Taten des Märtyrertums reichte, in denen der Mensch über sich selbst hinauswuchs und für einen Augenblick die Sphären höherer Welten berührte, in denen andere Gesetze galten? Niemals wird das ausgedrückt werden können, denn wer es anschaute und überlebte, der verstummt für immer, und die Toten können ohnehin nicht sprechen. Das sind Dinge, die man nicht ausspricht, sondern vergisst. Denn vergäße man sie nicht, wie könnten sie sich dann wiederholen?

Sie parkten das Auto und gingen zu Fuß zur Brücke. Als sie auf der Brücke standen, beugte sich Alija über die steinerne Brüstung und schaute hinab aufs Wasser. Er machte ihm ein Zeichen, zu ihm zu kommen. Er stellte sich neben Alija und blickte in die Richtung, in die Alija mit dem Finger zeigte. Im

Schatten des Stützpfeilers versammelten sich große dunkle Fische dicht unter der Wasseroberfläche. Es war, als schwebten sie, ohne Mühe, mit nur ein, zwei Flossenschlägen, während an beiden Seiten des gemauerten Brückenpfeilers kleine Stromschnellen gurgelten und das Wasser aufschnitten.

»Die können einen halben Meter groß werden«, sagte Alija.

Er lachte darüber.

Alija sagte: »Ich mache keine Witze.«

Er fragte Alija, wann er das letzte Mal hier gewesen sei. »Das ist schon Jahre her. Es ist ein Ort, an dem ein Muslim nichts mehr zu suchen hat.«

Außer ihnen waren nur wenige Menschen auf der Brücke. Ein alter Mann stand einige Meter entfernt und hielt sein Gesicht in die Sonne. Ein Paar fotografierte sich gegenseitig in der Mitte der Brücke, dort, wo die steinerne Bank war, bei der sich über die Jahrhunderte die Männer trafen und Karten spielten, sich unterhielten und stritten.

Als das Paar weitergegangen war, stützte Alija sich auf die Mauer am Rand des steinernen Sofas, der Kapija. »Hier standen sie, dann wurden ihnen die Kehlen durchgeschnitten und sie ins Wasser geworfen. Einer nach dem anderen. Hunderte. Es waren die eigenen Nachbarn, die ihnen die Kehlen aufschnitten. Und siehst du irgendwas? Ein Mahnmal? Ein Schild? Sie tun, als wäre hier nie etwas geschehen. Sogar die Moschee da drüben« – er zeigte auf ein Minarett, das sich zwischen den Häusern erhob – »haben sie wieder aufgebaut, obwohl hier keine Muslime mehr leben.«

Vor einem Jahr noch wäre er über die Brücke spaziert wie über jede andere historische Brücke, mit einer gewissen Ehrfurcht vor diesem Bauwerk und seiner Bedeutung. Er hätte den Blick von der Brücke genossen und hätte sich auf der steinernen Bank niedergelassen, vielleicht die Arme auf den Stein gelegt und sich ausgeruht. Er schämte sich für seine Unwissenheit. Als wüsste er, was ihm durch den Kopf ging, sagte Alija: »Das ist nicht deine Erinnerung. Du warst weit weg. Du hattest dein Leben und deine Sorgen.«

Sie lehnten beide an der Brüstung neben der steinernen Bank und blickten auf die Drina, die unter ihnen hinwegfloss. Er sah die dunklen Schatten der Fische. Er sah ein paar Jungen in Badehosen auf riesigen Reifenschläuchen den Fluss hinabschwimmen. Er sah die Berge, die diesen Ort umschlossen.

»Du siehst das alles im Fernsehen und machst nichts; das geht doch nicht«, sagte er.

»Natürlich geht das«, sagte Alija, »wir alle machen das ständig.« Am linken Ufer waren Tennisplätze, auf denen sich zwei Mädchen die Bälle zuspielten, hin und wieder hörte er den Ball, wenn er auf den Schläger traf.

»Weißt du, zu Beginn des Krieges haben wir Hilfe erwartet, wir konnten nicht glauben, dass die Welt all das, was hier geschah, zuließ. Aber dann kommt der Tag, an dem du lernst, dass es dein Schicksal ist und du nicht erwarten kannst, dass dir jemand hilft. Du musst da allein durch.«

Am anderen Ufer war ein Café, es sah neu aus. Die Tische standen hinter einer flachen Steinmauer mit Blick auf die Drina. Ein paar Tische waren besetzt. Zwei ältere Frauen, die Kaffee tranken und sich unterhielten. Eine Familie, die Frau einen Säugling im Arm, der Mann telefonierend. Ein Paar, das eng umschlungen auf einer der Bänke saß, sie hatte ihren Kopf auf seine Schulter gelegt und die Augen geschlossen, während er auf die Drina schaute. Die Sonne schien ihnen in die Gesichter.

Sie standen noch eine Weile auf der Brücke und gingen dann zurück zum Auto. Sie fuhren ein Stück durch den Ort, und im Vorbeifahren deutete Alija auf ein Haus am Bach. Eine Ruine. Die wenigen Mauern, die noch standen, waren vom Feuer schwarz gefärbt.

Epilog

Heute wurde im Fall Zlatko Šimić das Urteil gesprochen.

Die Anklage wirft dem Angeklagten individuelle strafrechtliche Verantwortlichkeit mit Blick auf die Ermordung von zweiundvierzig Muslimen vor, da er gemäß Artikel 7 Absatz 1 des Statuts an dem gemeinsamen kriminellen Unternehmen zur Ermordung dieser Gruppe von Menschen beteiligt war. Um die Verantwortung des Angeklagten auf dieser Grundlage zu belegen, hätte die Anklage nachweisen müssen, dass der Angeklagte eine Abmachung mit der Gruppe um Milan Marić getroffen hatte, diese Menschen zu ermorden, und dass jeder einzelne Beteiligte, also auch der Angeklagte, die Absicht hatte, dieses Verbrechen zu begehen. Die Anklage konnte die Strafkammer nicht davon überzeugen, dass der Angeklagte entweder eine solche Abmachung getroffen hat oder die Absicht hatte, diese Menschen umzubringen.

Wie oben angemerkt, hat sich die Anklage nicht auf die erweiterte Form des gemeinsamen kriminellen Unternehmens berufen, sodass der Angeklagte nicht für die natürlichen und vorhersehbaren Folgen eines gemeinsamen kriminellen Unternehmens verantwortlich gemacht werden kann, an dem er sich beteiligt und dabei ein weniger schwerwiegendes Verbrechen begangen hat. Die Anklage konnte daher nicht nachweisen, dass sich der Angeklagte an einem gemeinsamen kriminellen Unternehmen zur Ermordung der in dem Haus am Bach in der Pionirska-Straße eingesperrten Muslime beteiligt hat.

Die Anklage wirft dem Angeklagten zudem individuelle strafrechtliche Verantwortlichkeit für den Mord an zweiundvierzig Menschen vor, an dem er als Gehilfe und Mittäter der Haupttäter dieser Morde mitgewirkt hat. Um die Verantwortlichkeit des Angeklagten als Gehilfe und Mittäter der Haupttäter festzustellen, muss die Anklage nachweisen, dass er sich der Absicht der Haupttäter bewusst war und Handlungen vollführt hat, die einen grundlegenden Beitrag dazu geleistet haben, das von den Haupttätern geplante Verbrechen zu begehen. Der Strafkammer konnte glaubhaft gemacht werden, dass die Bemühungen des Angeklagten um einen Zusammenhalt der Gruppe zum Begehen des Verbrechens durch die Haupttäter beigetragen haben, doch sie ist nicht davon überzeugt, dass sich der Angeklagte der Absichten der Haupttäter bewusst war, die Angehörigen der Koritnik-Gruppe zu ermorden. Dem Angeklagten kann daher keine individuelle strafrechtliche Verantwortlichkeit als Gehilfe und Mittäter für den Mord an den Angehörigen der Koritnik-Gruppe nachgewiesen werden.

Der Angeklagte wird daher von der Anklage des Mordes nach Punkt zehn der Anklageschrift sowie der Anklage der Beihilfe des Mordes nach Punkt elf der Anklageschrift freigesprochen.